UN COIN
DANS LEUR MONDE

Responsable de la collection « *à la première personne* »
Christophe WARGNY

Couverture : Bernard ROPA

Du même auteur

• Pas d'histoire, les femmes...
    Syros. Collection histoire et théorie (1977)

• préface, notes et commentaires à la Voie féministe,
  d'Hélène Brion.
    Syros. Collection mémoires des femmes (1978)

Huguette Bouchardeau

Un coin dans leur monde

Éditions
SYROS

COLLECTION « MEMOIRE DES FEMMES »
dirigée par HUGUETTE BOUCHARDEAU

HÉLÈNE BRION
La Voie féministe
Préface, notes et commentaires :
Huguette Bouchardeau

EMMA GOLDMAN
La Tragédie de l'émancipation féminine
Du Mariage et de l'Amour
Préface, notes et commentaires :
Claire Auzias-Gelineau, Denise Berthaud,
Marie Hazan, Annik Houel

MADELEINE PELLETIER
L'Education féministe des filles
Et autres textes
Préface, notes et commentaires :
Claude Maignien

NELLY ROUSSEL
L'Eternelle Sacrifiée
Préface, notes et commentaires
Maïté Albistur, Daniel Armogathe

A paraître :

MARIA DESRAISMES
Ce que veulent les femmes
(1828 - 1894)
Préface, notes et commentaires
Odile Krakovitch

© Editions SYROS - ISBN 2.90.1968.34.1
Editions Syros, 9, rue Borromée, 75015 Paris.

Pour parler aujourd'hui d'une expérience, pour en parler avec d'autres femmes, j'écris ce livre. Un peu comme on essaie de se parler dans ces groupes de femmes qui intriguent si fort les hommes, et dont certains ont si peur. C'est vrai qu'ils ont bien raison d'avoir peur. Ils ont tort de croire que l'on ne fait qu'y parler d'eux ; mais, apprenant à parler de nous, à découvrir la manière dont on a fabriqué notre image, à débusquer ce qui nous fait agir, nous avons trouvé là les meilleurs moyens de défense contre la vieille oppression. Et leur pouvoir, leur monde, leur discours en prend un sérieux coup.

A quoi servent-ils ces groupes ? Qu'y faites-vous ? Comment y faites-vous avancer les choses ? A l'aune du militantisme traditionnel, que les voilà bien pauvres, nos tentatives de recherche passionnée de la vérité sur nous et nos rapports aux autres. Que de fois le conseil donné de nous tourner vers l'extérieur, de nous trouver des objectifs, d'agir enfin. Comme si, pour pouvoir agir, il ne fallait pas d'abord reconnaître ses propres forces et nommer l'adversaire. Comme si n'était pas action elle-même, cette prise de conscience de la réalité toujours masquée, toujours niée. Comme si l'analyse n'était pas indispensable à toute action politique. Mais vous, les hommes politiques, vous n'analysez jamais que ce qui est extérieur à vous : *des rapports de forces*, des *situations économiques, des champs politiques* ; il faut *sortir une analyse*, dites-vous, quand vous voulez exposer une de vos positions. Ceci, parce que le rapport d'oppression de l'homme à l'homme, longtemps intériorisé à travers les catégories de « race » de « caste », de « nature » ou de « dons », et justifiant par là toutes les exploitations, a justement été déjà élucidé. Sortir une analyse, cela veut dire, alors, voir comment nos schémas fonctionnent, appliqués à une réalité donnée. La première conquète de l'esclave sur le maître est dans la capacité de révolte, d'irrespect. Le premier enseignement du travail de Marx, c'est qu'il n'y a rien de naturel dans les rapports d'exploitation, qu'ils sont le fruit de l'histoire, déterminés par l'organisation du travail et la gestion de l'argent. Notre effort d'analyse à nous consiste à découvrir ce qui n'est pas « naturel », à déceler tout ce qu'a produit l'organisation sociale et familiale et la répartition des rôles féminins et masculins dans nos manières de vivre, d'agir et de penser.

Avec une difficulté supplémentaire par rapport à l'analyse des rapports de classes : les relations interpersonnelles entre hommes et femmes sont bien trop importantes pour la « survie » à tous les sens du terme, bien trop chargées affectivement pour qu'il soit facile de lire clairement les rapports crus de domination et d'exploitation. Nous savons crier à la mystification quand on parle d'amour entre tous les êtres humains, sans distinction de classe, de race, etc., et que l'on prétend transformer en rapports de charité les revendications élémentaires de justice. Mais nous acceptons encore qu'au nom de *l'amour*, on nous recommande d'oublier tout ce qu'il cache de liens de subordination, de facilités pour les privilégiés, d'abnégation pour les autres. On osera peut-être dire un jour tout ce que la mythologie de la passion amoureuse, tout ce que les discours sur l'amour maternel ont permis de faire fonctionner comme mécanismes d'exploitation, comme rapports de marchandises.

En attendant, il nous faut, nous les femmes, conduire l'analyse préliminaire à toute action politique — et je n'entends pas par préliminaire ce qui précéderait dans l'ordre chronologique (encore que, souvent, les choses se passent ainsi). Mais notre découverte des racines communes de nos réactions à nous et de leurs réactions à eux. La découverte aussi de nos solidarités profondes, forgées dans les expériences communes de nos éducations de petites filles, de nos rapports à nos mères, et à nos pères, de nos relations amoureuses, de nos expériences sociales, et, pourquoi pas, dans la « militance ».

Cette dernière expérience-là, du travail et de la prise de responsabilité dans une organisation politique, il se trouve que je l'ai faite, que je continue à la faire. Je pourrais la traduire en termes de « biographie » ou de « carrière », comme ils disent : cela ne présente aucun intérêt pour personne. Mais l'analyse même de l'expérience constituée par la présence d'une femme à une certaine place politique, cela peut avoir de l'intérêt pour nous toutes. Pour nous, comme femmes, qui avons besoin de déchiffrer ce qui se passe dans des expériences de ce type ; je ne vois pas pourquoi nous ferions indéfiniment — en les croyant subjectives —, certaines découvertes. L'un de nos acquis, toujours proclamé dans le Mouvement des Femmes, a justement été de refuser la fameuse coupure entre vie privée et vie politique qui caractérise tellement les pratiques militantes. L'analyse que je voudrais poursuivre ici essaye de comprendre les mécanismes généraux, dans ce qu'on nomme la vie politique, de ce qui apparaît d'abord comme réactions subjectives. « Je » n'arrive pas à faire les mêmes types de discours que les hommes, « je » n'aborde pas les questions sous le même angle qu'eux, « je » privilégie les soucis de l'organisation matérielle : est-ce moi qui suis concernée, avec mes qualités et mes défauts personnels ? Ou est-ce que je réagis ainsi, et eux d'une autre façon, parce que les rôles que nous sommes habitués à jouer nous amènent à nous comporter ainsi ? Existe-t-il une manière-femme de faire de la politique ? Ou plutôt ne sommes-nous pas bien placées, par notre qualité de novices et d'étrangères dans la maison, pour analyser ce qui se passe sur ce terrain privilégié des luttes et des ambitions masculines ?

J'ai fait, petit à petit, et en m'en défendant, la découverte douloureuse de l'image des femmes que portent dans leur tête la plupart des hommes. Et les lieux du militantisme politique sont privilégiés, je crois, pour cette découverte. Parce que s'y joue, de manière crue, la lutte pour le pouvoir. Parce qu'ils sont fortement hiérarchisés. Parce que le discours est le seul lieu de rencontre en période ordinaire : que tout s'y passe à partir des rites de « textes », de « réunions ». Parce que tout s'y déroule aussi dans le temps laissé libre par la vie professionnelle, et hors des heures habituelles de cette vie : les heures où, classiquement, on mange, on s'occupe des enfants, on aime et on dort. Une femme qui empiète sur ces heures de l'accueil de l'homme et des enfants, des repas, de l'amour, est-ce encore une femme ?

Quand j'ai parlé du projet de ce livre à certains camarades du parti, ils ont exprimé un regret. Pourquoi ne pas parler plutôt du projet politique du P.S.U. ? pourquoi ne pas essayer de montrer que d'autres formes de vie politique que celles que nous connaissons sont possibles ? Qu'ils se rassurent. Je ne pense pas pouvoir mieux parler de ce qu'est le P.S.U., de ce qu'il pourrait être, qu'en l'abordant par le biais d'un jugement de femme sur les pratiques politiques. Pour moi, l'apport des femmes à la politique n'est ni mondain, ni superficiel. Si la greffe réussit, elle doit bouleverser profondément les mœurs politiques. Sinon quelques femmes seront digérées, elles auront servi d'alibi, et, pour les autres, nous n'aurons plus qu'à nous tourner vers autre chose. J'essaie, pour un petit moment encore, de croire à l'action possible des femmes dans les partis politiques.

Mais il est vrai que j'ai quand même cédé un peu à la tentation de parler aussi de mon parti. On peut difficilement être secrétaire nationale d'une organisation et en parler avec la distance que pourraient avoir des observateurs. Peut-être arriverai-je un jour à dominer ce qu'a de particulier ma situation actuelle, et à reprendre mon projet premier : l'analyse de l'expérience cumulée des femmes dans les organisations politiques.

Ici, je me suis contentée d'une démarche en contre-point : à chaque réflexion menée sur mon expérience personnelle, je tente de faire correspondre, dans le chapitre qui suit, une réflexion sur le parti lui-même.

Je prends un risque : que cette double recherche ne satisfasse personne ! Peut-être les femmes avec lesquelles je voudrais d'abord discuter tiendront-elles pour un réflexe d'appareil cette réintroduction de *la discussion sur le parti* ? Peut-être mes camarades du P.S.U. trouvent-ils très insuffisantes les tentatives d'analyser ce qui nous empêche encore d'avoir une pratique réellement autogestionnaire, une pratique qui pourrait faire, en particulier, la place qu'ils méritent aux problèmes posés par les femmes.

Contradiction entre ma conviction de *la nécessité du mouvement autonome des femmes* et mon attachement à un combat politique mené depuis longtemps ? En tout cas, conscience bien claire qu'aujourd'hui aucune structure, aucun mouvement n'est parfaitement adapté aux problèmes que nous posons. Conscience douloureuse de la bâtardise en politique...

CHAPITRE I

Se prétendre une personne

Une femme est aussi un être humain.

ANDRÉ MALRAUX.

Merci, Monsieur !

J'ai passé de longues années, à vrai dire je me demande même si ces années-là ne vont pas jusqu'à l'expérience de la maternité, dans l'idée tranquille que j'étais un être humain. J'étais pourtant élevée comme une fille. A moi, dès la petite adolescence, l'aide ménagère obligée : j'aurais été « mauvaise » de refuser, et d'ailleurs la question ne se posait même pas. La famille était plus que modeste, ma mère le plus souvent épuisée par les six frères et sœurs ; la sœur aînée, âgée de six ans de plus, s'était mariée très tôt après avoir joué le rôle modèle de la seconde mère, infatigable et généreuse : il fallait bien prendre la relève ; on me trouvait moins assidue, moins dévouée qu'elle sans doute, trop fascinée par les livres, par les études, par l'envie de m'occuper d'autres choses : je me souviens de la dernière « correction » que j'ai reçue (bien élever les enfants, c'était aussi savoir les « taper » sans sentimentalité), à seize ans, parce que j'avais choisi, un jeudi après-midi de congé, d'aller encadrer un groupe de gosses plutôt que d'aider ma mère à la lessive. Le devoir, c'était d'abord ça : le ménage, l'aide dûe aux plus proches, à la famille.

Mais, curieusement, si je me révoltais de temps en temps, ce n'était pas contre mon sort de fille ; c'était plutôt contre l'injustice ressentie par rapport aux filles de milieu plus aisé qui, elles, avaient des loisirs, partaient en vacances ; j'ai passé des journées entières de cette adolescence-là, bloquée dans un petit coin de la salle à manger, tout contre le poste de radio, à écouter avidement des heures ininterrompues de programmes, en raccommodant des montagnes de chaussettes de toutes tailles dont la « balle » ne désemplissait jamais. Pendant ce temps, les deux frères plus jeunes avaient droit à la piscine, — seuls les garçons chez nous ont appris à nager —, aux spectacles des « matches » ; et je crois bien me souvenir être allée une fois ou deux au stade Geoffroy-Guichard, mais c'est parce que les frères étaient trop petits et qu'il fallait les accompagner.

Cette conscience aiguë que j'ai eue alors dans ces heures de grisaille et de raccomodages, de vouloir m'enfouir dans ces « reprises » idiotes et toujours répétées. Ces énormes trous aux talons qu'aux jours d'humeur guillerette j'essayais de réduire en trichant, en passant tout autour le fil un peu reserré qui fronçait le jersey et permettait de colmater plus vite la brèche ouverte : tant pis pour la « grimace » du tissu que ma mère m'avait appris à éviter. Mais d'autres jours, je n'essayais même pas de tricher. Je me perdais dans ces grilles interminables de fils croisés, de petites boucles bien plates sur l'envers. Se perdre dans le monotone et dans l'insignifiant, c'est la tentation de toutes celles (de tous ceux aussi, je sais) qui voient leurs jours s'emplir des tâches ménagères.

Et en même temps, cette liberté que je gagnais : il était entendu pour ma mère, pour les frères et sœurs, que je pouvais passer des heures tranquilles à écouter la radio, à repriser, repriser... Mais il y avait justement la radio ; le monde qui me venait par là, une culture inconnue de musique, de théâtre, de conférences ingurgitées avec avidité, dans le silence qui m'était accordé à l'écart du tumulte familial. Je me taisais, j'écoutais, j'enregistrais. Mes révoltes étaient invisibles. Je me vengeais sur l'imaginaire. Je trouvais un secret plaisir à m'abrutir apparement de ces taches répétitives ; il m'est resté de ce temps, je crois, ce silence réprobateur que je trouve toujours plus simple d'opposer aux longs discours.

J'ai appris de ma grand-mère, que je n'ai connue que sept ou huit ans, et de ma mère, cette attitude taciturne devant les difficultés, l'envie d'apposer un mur de silence lourd contre les agressions, même quand le bouillonnement est très fort. Cette moue de ma grand-mère vosgienne, et de ma mère, ces deux femmes habituées à accepter avec fatalité les gosses qui naissent, les tâches qui n'en finissent pas... Cette grand-mère que je n'ai jamais vue que courbée comme à la fin d'une lessive, les mains toujours plissées et roses du dernier savonnage. Ses heures de silence et ses répliques brusques qui pouvaient être si drôles, en « patois », quand elle consentait à échanger quelques mots, c'était toute une vie de rudesse et de misère, l'exil loin du pays, à cause de la guerre, les neuf enfants, les journées de ménage chez les « riches », et les journées d'usine au lendemain d'une naissance, l'horreur de l'inutile et de la fioriture, et le mari alcoolique et fort comme un roc.

Je ne parle pas toujours bien le grand discours théorique sur la lutte des classes, bien que j'ai lu Hegel, Marx et quelques autres — études de philosophie et militantisme politique obligent ! Mais aucun langage sur la classe ouvrière ne me paraîtra jamais plus vrai que ces bribes de discours entendus au passage, dans la confusion de l'enfance. J'ai « attrapé » la conscience de classe comme une maladie infantile. Et dieu sait pourtant que j'ai voulu y échapper, à ce sort de femme pauvre ; que j'ai refusé de me réduire à ce silence rudimentaire en buvant votre culture, en m'enthousiasmant pour les œuvres d'art, en me saoulant de lectures, que j'ai tenté de n'être pas des leurs pour me sauver de tout ce que je percevais de rétrécissement de la vie dans ces existences vouées au travail, aux soins de la maison et des petits, à la soumission à l'homme. Dieu sait que je les ai reniées, moi qui trouve si comiques aujourd'hui les efforts de certains pour « *faire peuple* » à tout prix. Je ne suis revenue à leurs leçons, à la compréhension de leur vie que par un long détour qui passait par la politique.

Pourtant, je ne mettais pas en cause ces rôles préétablis. Je rageais d'être traitée de paresseuse quand je voulais lire, ou même étudier. Mais je me sentais moi-même coupable de ne pas assez décharger cette mère toujours à courir entre les repas à faire, les poêles à charbon à nettoyer et à entretenir, le linge à laver, les corbeilles de repassage, le balai, la pelle, le seau. Mon père travaillait dans une maison d'épicerie en gros. Lui qui ne parlait jamais qu'en termes méfiants ou hostiles des patrons (on disait : le singe) ou des curés (même s'il avait connu des curés sympathiques) expliquait toujours les événements obscurs de l'histoire en disant : « C'est le Vatican qui est derrière tout ça ».

Il avait pourtant cédé sur un point au moins aux conseils de son propre patron, un bon catholique, responsable de l'Enseignement Libre de la Loire. Il chercha donc à nous faire accepter gratuitement dans des collèges privés. Les frères, mal adaptés à la clientèle, se firent vite renvoyer. Moi, je m'intégrais. Mais je connus là la différence de classes que je n'avais jamais rencontrée de près dans mon enfance : les filles d'ingénieurs des mines, d'architectes, de gros commerçants. C'est à elles que je pensais quand je me retrouvais les jeudis et les dimanches devant mes balles de raccommodage, la serpillière et le reste. Il y avait des filles qui n'avaient qu'à penser à être jolies, à sortir, et qui, luxe suprême, avaient tout le temps qu'elles désiraient pour lire, écouter de la musique et en faire, étudier. Les mères de ces filles étaient belles, bien habillées, elles avaient des bonnes et allaient en vacances.

Quand j'étais petite, j'avais vu de très loin le monde des « riches » dans le village où nous habitions : un ou deux industriels, le médecin. Je pensais que ces gens ne vivaient pas comme nous, qu'ils faisaient un ou deux repas par jour de plus que nous (c'était l'époque de disette de l'Occupation) qu'ils se couchaient très tard et réveillonnaient tous les jours comme nous le faisions, nous, une ou deux fois par an, à Noël et au Jour de l'An.

Mais dans ce collège, je rencontrais de près ce monde-là ; ces filles savaient « de naissance » des foules de choses que j'ignorais, elles jouaient au tennis, elles avaient, sur les normes de coiffure, de vêtement, des idées toujours justes dont je n'arrivais pas à comprendre comment elles leur venaient si bien et si vite. Je m'en tirais par la désinvolture et le mépris de tout ce qui était « extérieur ». Je m'imposais par la réussite intellectuelle. Mais je me révoltais de n'avoir pas leur chance. Je détestais leur mépris des gens modestes, mais j'avais honte d'en faire partie.

Oui, ma révolte contre le fait d'être une fille a été bien tardive par rapport à cette révolte-là, ou trop mêlée à elle pour que je sois capable alors de la discerner. C'est plus tard, bien plus tard, que j'ai appris que je croyais bien indûment être une personne.

Deux expériences essentielles pour cela. Celle de la *maternité et de la maison*. Celle de *l'expérience politique*. Expériences contradictoires en apparence, et qui, pourtant, m'ont apporté le même choc.

Dans le domaine politique, je suis restée si longtemps inconsciente de ce qui se passait comme rapports de forces entre hommes et femmes que je n'ai, pour le début de mes expériences militantes, que quelques souvenirs flash. Celui-ci, par exemple. C'est en 1954. J'ai découvert avec émerveillement le monde étudiant. Il y a sans doute des foules de choses que je ne saisis pas, et je continue à garder un silence prudent sur mes lacunes culturelles quand tous les autres, ou presque tous, ont l'air de se mouvoir en terrain familier. Un cours sur Van Gogh : je ne sais pas de qui il s'agit ; je masque mes notes. Il faut éviter que l'on voie que j'ignore l'orthographe du nom de ce peintre que tout le monde à l'air de connaître. Une petite bande va écouter des disques de musique classique chez l'un d'entre nous ; tous ont l'air de repérer le début et la fin des mouvements, de comparer les styles d'exécution. Je reste muette : je ne sais même pas qu'il s'agit des concertos brandebourgeois de Bach. Qu'importe ! les découvertes de cette époque sont si fabuleuses que je me sens prête à tout avaler et à franchir tous mes fossés d'inculture.

Et puis, je découvre, avec ce plaisir que j'ai toujours, que l'on m'écoute quand je parle, que je peux m'adresser, dans une réunion étudiante, à un amphi, et que cela passe... Dans l'institution privée où j'avais passé le bac, je « jouais » beaucoup les leaders : mais c'était un milieu si refermé sur lui-même, si réduit par le nombre, si confiné, que je ne me sentais guère gratifiée d'y être reconnue. A quelques exceptions près, je n'aimais guère mes camarades, et ,bonne élève, je les méprisais un peu. A la fac, il y avait des étudiants venus de partout. Des garçons, plus âgés qui à mes yeux avaient tellement lu, tellement vu... Des filles qui allaient au cinéma, sans cesse, quand je n'avais vu, en tout et pour tout, qu'une dizaine de films. Des gens à l'air désinvolte qui entreprenaient de longues discussions intellectuelles. Je ne me serais pas forcément hasardée sur leur terrain, mais voilà que le syndicalisme étudiant animait la vie de la fac. Des étudiants « politisés » faisaient des interventions qui me laissaient abasourdie ; sur la C.E.D. [1] ou le procès des Rosenberg.

J'avais envie d'être des leurs car ils représentaient pour moi les « adultes », la solidité dans ce monde petit bourgeois où chacun tentait de briller dans des domaines que je sentais trop d'un autre monde : leur culture à eux. Sur le terrain politique, les « propédeutes » que nous étions nous trouvions presque tous à égalité. Les responsables étudiants étaient en licence, en « diplôme », où ils préparaient les concours. Nous étions souvent désarçonnés par leur ton convaincu et péremptoire, un peu méfiants, mais il est tellement tentant de faire partie de cette aristocratie-là !

Je trouvais vite ma place dans ce milieu. Et je me mis aussi à « intervenir » en amphi. Je fus chargée, plusieurs années, d'accueillir les nouveaux étudiants. Puis je jouai au petit jeu des postes à occuper. Je fis connaissance avec la hiérarchie des organisations, avec les luttes des tendances politiques qui partageaient alors les étudiants.

---

1. Communauté Européenne de Défense.

Nous sommes donc en 1954. L'A.G.[2] de Lyon se cherche un secrétaire général. Je suis proposée par les étudiants en Lettres. Etonnement et gêne. On discute de cette proposition au bureau de l'A.G. — qui n'est composé que d'hommes —, et un émissaire embarrassé demande que l'on reconsidère cette candidature. Des raisons ? Une fille, ça ne supporte pas la discussion, ça pleure... et puis, au bureau, on a l'habitude de plaisanter, on peut « se taper sur le ventre » (sic)... alors... Ce que ne dit pas l'émissaire en question, c'est que ce poste est perçu comme un poste hiérarchique, et qu'il est impensable pour les Centraliens, pour les étudiants de « Sciences-Po » et de droit qui sont là de le voir occupé par une femme. Mon « amicale »[3] tient bon, et je suis élue. J'avais été un peu stupéfaite des arguments. A plusieurs nous en avions ri. Je n'avais pas cherché à les dénoncer, car j'y voyais un cas particulier plus significatif des positions politiques « retardataires » de certains groupes étudiants qu'une position générale contre laquelle j'aurais dû me battre. Je pensais alors que c'était mon problème, qu'il me suffisait de démontrer ma capacité et la futilité de leurs arguments. Piège tellement classique pour les femmes qui « arrivent » et que, depuis, nous avons appris à reconnaître : il s'agit avant tout de montrer qu'on est « à la hauteur », sans discuter de l'alignement sur les fameuses normes masculines. Et d'espérer qu'ils vont bien vouloir vous reconnaître digne d'eux. Dans ce temps de mes dix-neuf ans, j'avais assez d'impudence pour croire qu'il m'était permis de m'imposer dans des groupes d'hommes, assez d'impertinence pour y réclamer des premières places, et la presque totale inconscience de ce que cela remettait en cause.

A peu près dix ans plus tard, je devais retrouver sous la plume de Martine Michelland, qui avait été présidente

2. Association générale des Etudiants. Affiliée à l'U.N.E.F., elle regroupait alors 80 à 90 % des étudiants de l'université de Lyon. Outre l'activité proprement syndicale, elle « gérait » divers services matériels : restaurant universitaire, éditions, bar, clubs, etc...
3. Nom donné aux associations d'étudiants de l'U.N.E.F. dans les différentes facultés.

de la M.N.E.F. et vice-présidente de l'U.N.E.F. l'analyse de ce qui s'était passé quand elle avait refusé de « prendre » (comme on dit) la présidence de l'U.N.E.F. Je ne résiste pas au plaisir de la citer : « Au fur et à mesure du déroulement du Congrès, j'ai été mise dans une situation telle que j'étais présentée comme le « sauveur » ; il fallait que je prenne la présidence ; il n'y avait pas d'autres solutions ; et d'ailleurs le bureau l'avait décidé... Et à ce moment-là, j'étais persuadée qu'il y avait d'autres solutions, que c'était un faux problème, qu'il y avait des tas de garçons qui pouvaient être présidents. A ce moment, j'ai eu l'attitude très féminine que l'Assemblée attendait de moi. Il y avait là les soixante présidents d'A.G. réunis, et c'était « Martine présidente » ou « Martine pas présidente », etc. J'ai dit « non », « Ecoutez, je suis fatiguée ». Et j'ai été faible, voyez-vous, j'ai joué le rôle de la *faible femme*. Et je l'ai bien joué ; parce que cela faisait deux jours que l'on ne dormait pas ; j'avais envie de pleurer, de tout plaquer là ; et le public attendait cette position de faiblesse de moi pour le confirmer dans son opposition [...] Je m'en suis voulu beaucoup de cette attitude ; c'était très, très facile pour moi de la prendre parce que c'était « dans le champ », tout le monde l'attendait de moi et je l'ai assumée. Je les ai confirmés dans ce qu'ils avaient en eux de plus profond contre moi. Ils étaient peut-être convaincus au niveau rationnel de la nécessité de ma candidature, mais au fond d'eux-mêmes, il y avait des choses qui se révoltaient ; par mon attitude, je les justifiais dans leurs réticences, et c'est dans ce sens-là, si vous voulez, que l'on peut parler d'une position antiféministe à mon égard, et que les femmes sont responsables de l'antiféminisme. Il y a eu aussi les oppositions politiques, mais dans beaucoup de cas, elles n'étaient qu'un support à des oppositions d'une autre nature qui sont restées inexprimées. » [4]

J'ai envie de rapprocher cela de ce qui s'est passé, pour moi, vingt-quatre ans après ces premiers tours de

_____

4. *La Nouvelle Critique*, déc. janv. 1964-65, n° 161, page 46.

piste. A la fin de l'été 1978, mes camarades du bureau national du P.S.U. me demandent de reprendre le secrétariat national dont Michel Mousel est démissionnaire. Je dis mon inquiétude de n'être pas à la hauteur. Et je me vois opposer un certain nombre d'arguments parmi lesquels : « Tu es une femme... ce sera très bien. » J'ai eu envie de traduire « ça fera très bien », au sens de « ça présentera bien pour le parti », car la phrase avait exactement ce sens-là. Situation renversée ? Oui, mais au sens exact de l'image renversée dans le miroir : c'est toujours la même. Il y a vingt ans, la méfiance déclarée avait le mérite d'être limpide ; elle disait clairement le sentiment tranquille de la supériorité mâle.

Mais aujourd'hui ? Une femme, ça fait bien. Pour un parti, petit ou grand, c'est une devanture satisfaisante. Attention, dans ces cercles-là, on ne lui demande pas d'avoir le sex-appeal des supports publicitaires. Point trop décorative ne la faut, mais capable. Il fallait, il y a dix ou quinze ans, des femmes potiches aux tribunes des congrès syndicaux et politiques, et je me souviens avec quelles précautions on n'oubliait jamais la déléguée de service aux tribunes savamment dosées des congrès de la F.E.N. — un syndicat où les femmes forment pourtant la majorité —. On s'élève maintenant d'un degré en leur confiant parfois des responsabilités réelles. Mais on prendra soin, à l'occasion, de leur faire savoir que ce n'est pas à leur compétence qu'on fait appel, mais que l'on respecte ainsi de nouvelles normes. La responsable du « secteur femmes » du P.S.U. s'est entendu dire, quand elle a été nommée au bureau politique du Parti : *Tu as raison, il y a maintenant un créneau pour les femmes...* Sous entendu : « Tu n'es pas à la hauteur, mais tu as raison d'en profiter : on demande des femmes. » Rage de l'intéressée qui n'a pas du tout l'impression de faire une bonne affaire !

Quand aurons-nous fini d'encaisser des humiliations de ce type ? Quand serons-nous reconnues pour ce que nous sommes ? J'enrage de me sentir ramenée à mon sexe, même si l'image qui s'y attache aujourd'hui est un peu moins dévalorisée. Je voudrais retrouver cette certitude que j'ai eue longtemps, petite fille et adolescente, avant d'entrer dans les organisations syndicales et politiques, celle d'être quelqu'un.

Seulement, quand le doute vient à vous gagner, il n'en finit plus de tout détruire : la belle sécurité, la confiance en soi, le plaisir de dire et d'entreprendre. Quand je me vois sans cesse à travers le regard sexiste des autres, comment être encore moi-même ? Il y a cette admiration étonnée — et outrancière — que les hommes dispensent sans compter quand une femme réussit. J'avais déjà remarqué, en étudiant l'histoire des mouvements de femmes au début du siècle [5], l'abondance des épithètes flatteuses — et exagérées — qui émaillaient les discours masculins quand ils voulaient apprécier une grève féminine, ou les interventions inattendues de quelque oratrice. Que ces animaux-là se mettent à parler, à s'organiser, à tenir tête à un patron, la gent masculine responsable n'en revenait pas : ces femmes étaient pour eux « passionnées », « courageuses », voire « héroïques » ou « extraordinaires ». La fameuse règle de l'exception. J'ai retrouvé cela dans le fonctionnement politique actuel. Il y a peu de femmes, très peu, aux postes de responsabilités. Mais, quand elles y sont, on surenchérit volontiers sur leurs qualités et le rôle qu'elles peuvent tenir. Il s'agit de les amener dans le clan des maîtres, et qu'elles s'y comportent de manière raisonnable.

On ne leur ménagera pas les conseils : il y a dans tout homme, à l'égard de ses « camarades » femmes, un petit Pygmalion qui sommeille. Bons conseilleurs, un brin paternalistes, ils n'ont de cesse de vous « réassurer ». Ils hésitent, tiraillés entre deux attitudes : celle qui consiste à nous vouloir comme eux ; en ce sens ils doivent prévenir nos maladresses, nous tenir au courant des mœurs régnantes ; mais comme notre réussite et notre originalité vient en partie de ce que nous ne nous conformons pas exactement à ces mœurs, ils veulent que nous restions *nous-mêmes*. Entendez : que nous nous exprimions comme on s'attend à ce que s'exprime une femme. J'ai reçu, avant un meeting que je devais faire dans une ville de province, une longue lettre du secrétai-

---

5. *Pas d'histoire, les femmes...* Editions Syros.

re du parti qui était chargé de préparer la réunion. Il me disait ce qu'il attendait de mon intervention. En m'exposant d'abord une assez longue analyse des « thèmes » qui passaient ou ne passaient pas dans la région, et de ce que, selon lui, les militants attendaient. Puis, une fois ce cadre très étroitement dessiné, il ajoutait : *mais avant tout, reste toi-même, parle avec tes tripes.* Je ne crois pas que l'on ait jamais donné ce conseil à l'un de mes prédécesseurs. Je vois bien un responsable local du P.S.U. conseillant à Michel Mousel ou Michel Rocard d'insister plutôt sur tel problème que sur tel autre ; mais de là à leur dire de laisser parler « leurs tripes » !... La raison mâle, c'est connu, n'a point là ses racines.

Devant ces conseils contradictoires : *dire ceci ou cela, bien penser à tel argument, bien analyser,* et, dans le même temps *rester soi-même,* je me sens, de manière cocasse, revenue à la scène idiote de ma photo de mariage. Où un photographe à l'ancienne me faisait adopter, dans mon petit tailleur gris bien sage, une position impossible : tête de trois quarts, pieds bien joints, dos bien droit, regard coulé vers l'heureux époux.. tout en me répétant sans cesse, après de longues minutes de pause à maintenir un sourire crispé : *ayez l'air naturelle.* Que je sois comme ils veulent, mais en restant moi, puisque ce qu'ils veulent avant tout c'est exploiter à fond le fait que je suis une femme, qu'ils puissent me mettre à la devanture, et qu'ils attendent d'en tirer le bénéfice ; bénéfice annulé si je ne me comporte justement pas *en femme.*

Jamais, au P.S.U., à l'égard des secrétaires nationaux, on n'avait autant insisté sur le terme de *porte-parole.* Je n'avais jamais vu, auparavant, cette tentative de dissociation entre les fonctions de direction du parti et son expression extérieure. Ne nous investiraient-ils de pouvoirs que pour mieux faire de nous leurs marionnettes ?

Piège considérable. Qui ne menace pas forcément toutes les femmes dans les organisations politiques. Seulement celles qu' « ils » ont placées à certains niveaux. Je le sais. Je n'ai jamais éprouvé le moins du monde ce sentiment dans mon activité militante, dans les syndicats, dans le parti, dans des organisations très variées, tant qu'il s'agissait d'échelons intermédiaires de responsabilités. Les femmes sont reconnues comme camarades de travail ; elles ne sont pas admises dans le partage du pouvoir réel : celui des décisions concernant la ligne politique à suivre. Si j'observe avec attention les partis politiques ou les centrales syndicales, par qui sont tenues les « tendances » ou finalement se discutent, s'équilibrent et se prennent les grandes décisions concernant les orientations d'une organisation, j'aperçois quelques têtes connues, ceux qui tiennent effectivement les rênes.

Peu ou pas de femmes. Il est indispensable aujourd'hui « d'avoir » une ou plusieurs femmes connues dans son camp, pour les faire monter en première ligne. Au besoin, quand une tribune est difficile, le charme, la fraîcheur, la sincérité ou la tonicité de l'intervenante seraient des éléments de choc dans le débat... pour soutenir la « ligne »... arrêtée par d'autres. On la veut élève attentive dans les discussions préparatoires, dans les réunions restreintes ou s'expriment les initiés. Et traductrice fidèle dans les interventions publiques.

Ainsi les hommes tiennent-ils à déléguer aux femmes une part de leur pouvoir à eux, sous certaines conditions, pourvu qu'elles se tiennent tranquilles. Et qu'elles n'aillent surtout pas imaginer que ce pouvoir, elles l'ont conquis elles-mêmes ! Pendant une centaine d'années, en France, les femmes se sont battues pour obtenir le droit de vote. Et le droit à l'éligibilité. Les mêmes hommes qui acceptaient d'avoir des militantes dans les rangs de leur parti, les socialistes, les radicaux, s'arrangeaient pour que ces droits leur soient refusés. Pourtant, conscients de la valeur de certaines de leurs coéquipières, ils leur « accordaient » des postes officiels. Léon Blum disait que les femmes devaient conquérir le pouvoir par le sommet d'abord, et non par la base. Et il fut le premier gouvernant à nommer, au moment du Front Populaire, trois femmes à des postes ministériels. A peu près dans les mêmes années, un peu partout en France, les maires nommaient, de leur propre autorité, des femmes à des postes d'adjointes aux conseils municipaux. Mais sans leur permettre l'accès à aucun mandat électif.

Les maîtres peuvent accorder leurs faveurs ; on leur devra au surplus de la reconnaissance.

Mais le pouvoir réel, c'est autre chose. Il est encore retenu dans les mailles invisibles des petits groupes de compagnonnage mâle. Qu'il s'agisse de la répartition des postes de direction — ceux où s'élaborent et se décident les choix politiques — de la distribution des mandats électifs, des sièges réellement « gagnables », ou des postes garantissant quelques avantages matériels, même légers, la solidarité masculine est toujours vigilante. Ni plus ni moins que dans les bonnes vieilles traditions des entreprises industrielles ou commerciales.

Je crois d'ailleurs que nous tendons trop facilement le dos. Que nous avons trop bien intériorisé les modèles pour ne pas nous prêter au jeu. Et cela d'autant plus que nous avons vécu, par ailleurs, l'expérience des contraintes et de l'enfermement féminin. Je parlais tout à l'heure des quelques petits chocs éprouvés, face aux suffisances mâles, durant mon passage dans le syndicalisme étudiant. Ces difficultés-là étaient plutôt excitantes, et elles ne réussissaient pas à atteindre ma confiance en moi. J'éprouve tout autre chose aujourd'hui, et, parce que je sais que je ne suis pas la seule, je crois nécessaire d'analyser cette évolution.

A vingt ans d'intervalle, j'ai été amenée à vivre et à me percevoir comme une femme parmi les autres femmes ; quand j'essaie de retrouver la trame de ces vingt années, je peux bien sûr énoncer quelques repères quant à ma vie professionnelle : la fin des études, les concours, les dix ans d'enseignement au lycée, la thèse et le travail en faculté. Je peux aussi retrouver les étapes de la vie militante, jamais vraiment interrompue : après le syndicalisme étudiant, l'entrée à l'U.G.S. [7] puis au P.S.U., et les responsabilités simultanées ou successives dans le syndicalisme enseignant et au parti. Et, en parallèle, la participation au Planning Familial, puis la découverte, à partir du M.L.A.C., du Mouvement des Femmes. Mais je

_____
7. Union de la Gauche Socialiste.

suis beaucoup plus tentée d'organiser ce récit autour de quelques dates qui sont celles des débuts de ma vie de couple, des naissances de mes enfants. Et là, il me semble que je vois toute la différence entre la manière dont les hommes qui font la politique, comme on dit, vivent leur existence, et la manière qui a été la mienne. C'est celle, je crois, de beaucoup d'autres femmes.

La « carrière » d'un homme, généralement, cela s'ébauche et se construit entre vingt et quarante ans. Pour beaucoup de femmes, cette période-là est celle des difficiles conciliations. Je parlerai plus tard de ce que représente le temps, dans la vie militante des femmes. Je ne veux ici qu'étudier ce que cette période laisse de traces dans nos manières d'être et de réagir.

Car on ne vit pas impunément pendant dix, quinze ou vingt ans avec ce qu'on appelle habituellement les « soucis » des femmes : ceux des enfants, de la maison, du repas du soir aux boutons à recoudre, sans qu'il n'en reste quelque séquelle. Je crois que nos réticences devant les discours, la sensation de temps perdu dans toutes ces rencontres, ces réunions, ces palabres, qui sont la toile de fond de la vie politique, viennent beaucoup de là. Comme l'idée que l'on n'est pas faite pour les grandes synthèses, les envolées, mais que l'on s'entend mieux à régler les problèmes d'organisation, que l'on prend toujours les choses par le petit bout de la lorgnette. On fabriquait aux Chinoises de tout petits pieds, pour les soumettre aux canons de la beauté ; une vie ordinaire de femme, c'est autant de bandelettes à vous rétrécir l'esprit, à vous enfermer dans l'engrenage des petites préoccupations. Je ne cherche pas à hiérarchiser les différents types d'activité, à entrer dans le jeu qui consiste à voir des activités nobles dans les occupations habituellement masculines et des activités inférieures dans celles qui sont traditionnellement réservées aux femmes. Je sais pourtant que si les hommes s'attribuent plus facilement les unes en nous laissant si généreusement les autres, ce n'est pas pour rien. Et je sais aussi qu'entre les tâches de la vie familiale et ménagère d'une part, celle de l'activité militante et politique d'autre part, il y a toute la différence du destin et du projet. Je sais que je suis d'une génération où l'on ne pouvait guère prévoir les naissances ; on ne pouvait donc non plus avoir des idées bien nettes sur les mois, les années à venir ; tout « dépendait »... cette dépendance-là condamnait à vivre au jour le jour, et la répétition, le morcellement des tâches journalières ajoutait encore à ce sentiment de précarité.

Et puis, dans ces années-là, vous vous habituez aussi à l'image de vous que vous renvoient les autres ; le gros ventre de la femme enceinte, le landau qu'on pousse, le panier à provisions, ce sont des signes de reconnaissance ; derrière ces signes-là, on ne s'adresse plus à vous de la même manière. On vous demandera plus volontiers des nouvelles du petit dernier que votre appréciation sur tel article du *Monde*. De là à penser que vous n'avez pas d'appréciation du tout, ou que vous ne lisez plus... Je me souviens des conversations en salle des professeurs dans le lycée où j'enseignais : le personnel était en majorité féminin. Il fallait vraiment un événement choc, une grève, une élection, pour que les débats sortent un peu des problèmes quotidiens de la vie ménagère et maternelle. Pourtant, la plupart des femmes qui étaient là avaient fait des études, elles s'intéressaient ou s'étaient intéressées à d'autres choses que leur mari, leur maison, leurs petits. Et presque toutes, un jour ou l'autre, déploraient la pauvreté de ces pseudo-échanges. Mais notre rencontre dans le groupe les multipliait et seules, quelques jeunes célibataires pouvaient se permettre de regarder d'un peu haut tout cela.

Depuis, j'ai appris que les hommes pouvaient *papoter* autant. Simplement les sujets « nobles » font aussi partie de leur papotage, à côté des sorties de week-end, des voitures et de la gastronomie (rarement de la cuisine). De la même manière, certains journaux à sujets politiques dominants et lus davantage par les hommes, passent pour plus *sérieux* que les journaux dits féminins ; même si la manière qu'ont ces journaux d'aborder la vie politique, économique, ou sociale ne va guère au-delà des conversations de salons de coiffure ou de café du commerce. La différence, c'est que la plupart des femmes avec qui j'ai parlé, après coup, de cette situation, la vivaient comme le signe d'une pauvreté intellectuelle collective.

Alors, petit à petit, même quand la confiance en soi ne fait pas défaut au départ, on en vient à se sentir définie par le rôle. Le regard sur soi se fait plus inquiet, au fur et à mesure que celui des autres vous enferme davantage. Parlant des individus qui sont l'objet du racisme, Colette Guillaumin insiste sur cette perte de la confiance en soi : « Il est difficile à un racisé d'avoir spontanément confiance en soi comme individu. Car tout, dans les relations quotidiennes, dans le travail — qu'il s'agisse du salaire, du poste occupé ou de la promotion —, à l'école, dans les stéréotypes qui lui sont sans cesse rappelés sous forme agressive ou sous forme de plaisanterie, lui assigne et lui enseigne une place secondaire et subalterne ; ou même franchement menacée. » Il est tentant, et juste je crois, de remplacer *racisé* par *sexisé*, ou, si l'on craint les néologismes par *en butte au sexisme* ou par *femme* tout court. S'expliquent alors les craintes de n'être pas à la hauteur, l'exclusion de certains mondes de spéculations, l'impression qu'il y a *leur* monde et le nôtre. Le notre : tout cet ensemble envahissant et douloureux.

Je me suis souvent vue reprocher, j'ai souvent entendu reprocher à d'autres militantes notre sensibilité aux critiques, notre capacité à déceler la moindre trace de jugement un peu sévère de la part des camarades masculins : c'est vrai ; il ne s'agit pas là, comme il est si tentant de le décrire, d'une émotivité plus grande, de quelque instabilité de nos humeurs. Mais de cette tension toujours aux aguets pour percevoir chez le partenaire l'approbation ou la mise en doute. « L'hypersensibilité, l'extrême finesse des perceptions dans les rapports humains caractérisent l'appartenance à un groupe racisé. »

Et, là encore, l'expérience se vit toujours plus aiguë, au fur et à mesure que l'on gravit les échelons d'une quelconque hiérarchie, et de la hiérarchie politique en particulier. Car les questions de la compétence et du prestige sont sans cesse posées. Et chaque intervention est jugée sous ces angles-là ! J'avais été frappée d'entendre Simone Veil déclarer à Jacques Chancel, lors d'une

« radioscopie » qu'elle avait peur de n'être pas à la hauteur. Elle était déjà en tête des hit-parades de la popularité, et sa carrière passée lui assurait quelques garanties. J'avais pensé qu'il s'agissait de fausse modestie et d'habileté. Je ne le pense plus du tout. Je suis persuadée au contraire que ce sentiment ne peut que croître, pour une femme, aujourd'hui, quand elle est amenée à occuper des postes de pouvoir. Car elle a de manière permanente cette sensation : elle est placée là par des hommes qui trouvent bon d'utiliser le capital de sympathie qu'elle représente. Parce qu'elle se fera renvoyer, avec d'autant plus d'agressivité que le poste est envié, l'écho de ses propres doutes. Parce qu'on lui fera comprendre abondamment qu'elle a été « mise » là ; parce que l'on supporte ses maladresses et sa différence pour le profit publicitaire qu'on en tire. Reste toujours cette peur panique de n'être pas capable, et de n'être maintenue là que pour la galerie.

Dans nos réunions du « secteur femmes » du P.S.U., nous avons souvent analysé nos difficultés à exister et à militer dans une organisation mixte. J'ai toujours été frappée du fait que les militantes des sections, des fédérations parlaient de leur manque de confiance en elle, de leur difficulté à s'imposer, à prendre la parole, mais s'étonnaient quand les femmes du Bureau Politique tenaient le même discours. Nous, il nous arrivait d'intervenir en congrès, de tenir des meetings, de nous exprimer dans les instances dirigeantes : nous devions donc avoir dépassé le stade de la timidité et de la peur. Je n'ai jamais été particulièrement timide. Je n'ai jamais éprouvé de difficulté à m'exprimer dans le syndicat et le parti, tant qu'il s'est agi pour moi d'être secrétaire de section, responsable régionale. Je n'avais jamais connu la timidité que dans d'autres cadres : avec certains de mes collègues de philosophie qui discouraient si savamment de questions que j'estimais trop lointaines ; avec les gens de milieu bourgeois dont l'aisance, la facilité, me faisaient perdre pied, tout autant que le cadre dans lequel ils vivaient. Si bizarre que cela soit, je me suis sentie le plus souvent aussi glacée, aussi bloquée au Bureau Politique de mon parti, que dans un salon, pendant les quatre années de ma participation, avant d'être élue secrétaire nationale. Avec ce sentiment que je n'étais pas de leur monde, l'impression, chaque fois que j'ouvrais la bouche, que je n'employais pas les mots ou les formules qui convenaient. Comme si la confrontation avec des hommes habitués aux joutes politiques, dans ce cadre-là, m'avait renvoyée inévitablement à mon statut de « bonne femme ». Que ce sentiment d'infériorité-là soit en grande partie dans ma tête à moi, je n'en doute guère. Mais pourquoi se révèle-t-il si fort, dans ce cadre de l'activité politique, et dans mes responsabilités actuelles ? Je crois que je n'arriverai à comprendre tout cela qu'en analysant ce qui se passe dans le parti politique, aux échelons que je connais bien, comme rapports de pouvoir et rapports au pouvoir.

CHAPITRE II

Quelques mots sur le pouvoir

*Si elles allaient vouloir gouverner !
nous ne sommes pas assez sottes pour
cela ! ce serait faire durer l'autorité ;
gardez-là afin qu'elle finisse plus vite !
(...).*
*Vos titres ? Ah bah ! Nous n'aimons
pas les guenilles ; faites-en ce que vous
voudrez ; c'est trop rapiécé, trop étriqué
pour nous. Ce que nous voulons c'est la
science et la liberté. Vos titres ? Le
temps n'est pas loin où vous viendrez
nous les offrir, pour essayer par ce partage de les retaper un peu.*

LOUISE MICHEL.

Il me faut décrire ici un certain nombre de découvertes vécues comme autant de « chocs », depuis mon élection au secrétariat national du P.S.U. J'ai été proposée à ce poste, bien sûr, parce qu'on estimait, — faut-il dire parce qu'ils m'estimaient ? — que je pourrais « tenir la route », et au nom de ce que j'avais montré comme capacité là où je militais auparavant. Or, avant, je n'étais pas justement placée à ce nœud de conflits de pouvoirs que représente un poste central dans une organisation politique.

Avant, j'avais eu charge d'animer des équipes que je connaissais, et qui partageaient une même volonté d'action sur le terrain : c'était le cadre de l'action locale dans une fédération du parti. Ou bien, dans le *secteur femmes* dont j'ai assumé la responsabilité nationale pendant quatre ans, il s'agissait de faire entrer dans le parti un certain nombre d'idées dont les femmes étaient porteuses. Il s'agissait avant tout de nous faire reconnaître collectivement, de ne plus accepter que l'on oublie systématiquement les problèmes que nous posions. Nous y arrivions par l'entêtement, la répétition, quelquefois un brin de terrorisme. Mais il y avait entre nous, les femmes du parti occupées à ce secteur, une volonté collective importante, souvent soudée par la méconnaissance ou les oppositions que nous suscitions. Et nous étions assez opposées au système hiérarchique dont nous étions les premières exclues, aux délégations de pouvoir qui fabriquaient les petits chefs, pour imaginer et mettre en œuvre des pratiques très collectives de travail politique, en respectant nos différences, en nous complétant, en évitant les jugements de valeur et les critères de classement qui auraient réintroduit chez nous des modes d'organisation contre lesquels nous nous battions.

On trouvait, on trouve toujours dans ce *secteur femmes* l'amitié et les contacts que créent les groupes femmes : facilité à intervenir, même pour celles qui se sentaient bloquées habituellement dans le rite des réunions politiques, facilité à passer d'un registre à l'autre de la discussion, sans ligne de séparation bien nette entre les sources subjectives des positions et des attitudes, et ces positions elles-mêmes, langage concret émaillé de références à la vie quotidienne. Le temps à vivre, les enfants, le caractère des gens avec qui l'on travaille, cela pouvait faire partie de l'analyse, sans tomber sous le mépris des faiseurs de norme du discours politique. Au temps où le P.S.U. a été traversé par de fortes luttes de tendances, le secteur femmes en a subi les contre coups. Mais même dans ces moments-là, et quand un groupe cherchait à s'en servir comme instrument pour acquérir une position de force dans le parti, la solidarité sur des objectifs fondamentaux, le refus de se laisser piéger dans des débats dont nous n'étions pas les auteurs, a fini par l'emporter.

Tout cela était possible, malgré les définitions de tâches qui nous étaient attribuées, et les définitions théoriques de notre rôle. Nous fonctionnions (j'en parle au passé, car je n'y participe plus guère, mais je sais qu'il continue de fonctionner ainsi) avant tout comme groupe de réassurance pour les femmes du parti, et comme groupe de pression à l'égard des instances politiques.

Groupe de réassurance dont chacune de nous avait besoin pour se décider à intervenir, à franchir les barrières des prises de position publiques et de l'affrontement aux camarades masculins. J'ai vu les femmes les moins féministes du parti venir participer au « secteur femmes », quand elles se voyaient proposées à une candidature pour des élections par exemple. Parce qu'elles éprouvaient alors et les difficultés bien réelles à entrer dans ce rôle, et les difficultés supplémentaires qui leur advenaient en tant que femmes. J'ai vu des camarades dont personne n'avait entendu la voix dans aucune instance du parti, se mettre, dans un week-end ou un stage femmes à parler, parler, parler... Avec d'autant plus d'émotion que ce qu'elles disaient là avait été longtemps contenu, et qu'elles ne pouvaient le dire qu'entre nous. A parler d'elles, de leurs rapports avec leur militant de mari ou d'ami, des petites humiliations au jour le jour, de la peur de n'être pas à la hauteur si elles se permettaient d'émettre un avis, et de leurs jugements sur la politique. On s'apercevait alors qu'elles avaient mûri des convictions, qu'elles pouvaient s'exprimer sur tel ou tel choix stratégique, mais que cela devait passer d'abord par cette réassurance que seul le contact dans le groupe non mixte leur permettait.

Ensemble, nous nous découvrions de l'humour, du plaisir à la vie politique que la plupart d'entre nous jugeaient, dans les autres cadres, fatigante et ennuyeuse. Nous y apprenions aussi à nous moquer des jugements sur nous que pourraient nous opposer les forts en thème du parti. Nous découvrions que le langage simple et concret était peut-être le meilleur véhicule des analyses. Nous nous rendions capables d'une solidarité entre nous, que tout le jeu de la rivalité nous avait désappris depuis l'enfance. Et comme il en faut, de cette solidarité-là, dans l'organisation politique ! Les femmes y sont peu nombreuses à intervenir ! quand l'une d'elles le fait bien, elle est très vite remarquée, tirée du lot, attirée dans le clan des hommes. On ne lui demande plus alors qu'une chose, pour être considérée comme une égale : qu'elle oublie que beaucoup de choses la séparent de ses camarades masculins. Qu'elle évite de mêler ses convictions féministes à l'*analyse sérieuse*, qui n'ayant jamais intégré ces préoccupations-là, les considère comme secondaires ou inclassables dans le discours politique. Ce faisant, les hommes du parti partageront volontiers avec elle des plaisanteries condescendantes sur les femmes qui sont incapables de sortir de leur point de vue de femmes, d'oublier leur *agressivité féministe*. Si nous n'avons pas appris à nous serrer les coudes, à définir ensemble nos objectifs communs et les moyens de les imposer, quelle facilité pour eux de se trouver quelques alliées « raisonnables ». Depuis toujours, c'est le regard des hommes qui nous évalue, qui nous apprécie, qui nous donne droit à exister. Pour être capable d'encourir les jugements et les sarcasmes masculins, il faut se sentir soutenues par d'autres, sinon, il n'existe plus que le jeu des rivalités.

Voilà pourquoi le secteur femmes du P.S.U. joue aussi, c'est vrai, comme un groupe de pression. Parce que nous n'avons pas des conditions égales dans le jeu politique et que nous devons prendre les moyens de compenser, d'une manière ou d'une autre. Sans l'avoir toujours nettement défini autrefois, je pense aujourd'hui que le secteur femmes du parti nous a permis, par l'usage que nous en avons fait, de recréer, à l'intérieur du parti, un mouvement autonome de femmes. Ce n'est peut-être pas très satisfaisant d'un point de vue théorique. Certaines diront que nous sommes bien peu autonomes, que nous avons choisi de participer à une bataille dont nous ne définissons pas nous-mêmes tous les éléments. D'autres nous dénieront le droit de vouloir définir, en tant que femmes, des objectifs que les textes généraux du parti, et ses groupes mixtes, doivent préalablement aborder. Tant pis pour la théorie si la réalité est bâtarde ! Et cela ne nous empêche pas, aux unes et aux autres, de participer par ailleurs à des groupes de femmes parfaitement autonomes : groupes de conscience, collectifs d'action, centres de femmes, groupes féministes divers. Nous nous sentons partie prenante du mouvement des femmes, dans et hors du parti.

Quoi qu'on en pense, le temps passé à s'investir dans ce secteur femmes du parti laisse des traces. Vous forme et vous déforme. Je ne suis pas bien sûre que ce soit une bonne préparation pour aborder des responsabilités politiques, à ce qu'on appelle *le niveau le plus élevé*. Car voilà qu'avec le décor changent les règles. Un parti, c'est une machine à penser des solutions globales, et un appareil à prendre le pouvoir dans les institutions. On attend de lui qu'il ait des solutions concernant l'avenir du pays, qu'il dise comment il pense devoir régler la question de la répartition des richesses, aussi bien que celle de la paix internationale. On attend aussi qu'au-delà du discours explicatif, il se pose en candidat à l'organisation même des solutions qu'il propose ; qu'il soit donc apte, sinon à prendre à lui seul le pouvoir, au moins à en partager l'exercice.

Quand on est militant à la base d'un parti, on parle beaucoup de ses « luttes », on oublierait volontiers qu'il est aussi chargé d'accomplir une théorisation complète des possibilités d'avenir : parce qu'il semble que les luttes se suffisent à elles-mêmes, qu'elles portent le sens de leur débouché possible. On oublie alors quelquefois ce que l'on a trop bien intégré : la réflexion collective et historique dont elles sont porteuses et qui ne peut guère être interrompue si l'on ne veut pas courir le risque d'être utilisé à d'autres fins que celles que l'on désire.

Le travail dans le secteur femmes, quant à lui, habitue à prendre les problèmes à partir de la position particulière qu'occupent les femmes. C'est de nous d'abord que nous partons et que nous parlons. Je n'ai jamais eu l'impression, en écrivant des textes pour ce secteur, en préparant ses positions, de traiter de « généralités » ; je parlais de moi, de nous, et cela se traduisait en termes de positions à prendre, de ligne à défendre, de théorie à soutenir. J'ai quelquefois l'impression, en travaillant aujourd'hui à la rédaction de textes du parti, que je fais exactement le chemin inverse. Je pars de positions, de théories, d'analyses générales, et tant mieux si au bout du compte je m'y retrouve un peu. Un journaliste de radio me faisait remarquer un jour que j'avais un tic de langage dont je devrais me défaire, et qui consistait à démarrer la plupart de mes déclarations par *Au P.S.U. nous disons que...* Et la répétition de cette formule est bien significative. Vue du petit bout de la lorgnette, elle me renvoie à une réalité précise : les analyses que les « autres » ont faites pour moi et que je m'efforce de retraduire en porte-parole appliqué.

Je ne suis ni économiste, ni spécialiste de physique nucléaire, ni capable de parler de premier jet de la politique internationale de tel ou tel pays. Des camarades préparent et font ces analyses et j'essaie de les traduire. Je crois qu'il n'y a là rien que de normal, à moins que la présence d'enarques pendant longtemps à la tête du P.S.U. ait habitué le parti à des secrétaires omnicompétents ou capables de le paraître.

Il y a autre chose aussi, qui ne vient pas seulement de ce partage des compétences : c'est la réalité d'un collectif qui n'est pas seulement composé d'individus écrivant ou pensant ceci ou cela à un moment donné. Un parti, c'est aussi une histoire. Si je parle des rapports avec la gauche, j'ai derrière moi tout l'acquis collectif d'années d'expérience et de réflexion. Ce que je dis, ce que je fais aujourd'hui doit d'une certaine manière continuer ce qui est notre fonds commun, et qui nous constitue comme groupe. Et si je pense que des changements doivent intervenir, il faudra longtemps expliquer pourquoi et comment.

Voilà pourquoi je ne me sens plus guère autorisée à dire « je », pourquoi je vais répétant *au P.S.U. nous disons que*, pourquoi aussi il me devient de plus en plus difficile, même quand des camarades me le demandent, de parler, comme ils disent, « avec mes tripes ». D'ailleurs, le rappel inverse m'est aussi très souvent adressé ; je dois me souvenir, me redisent certains, que, maintenant, je suis secrétaire nationale du P.S.U., et que je ne parle plus seulement en mon nom propre. Je ne peux que remarquer que ce rappel m'a surtout été adressé quand j'étais « embarquée » dans une action commune avec d'autres femmes du mouvement : il visait à me rappeler que mes prises de position féministes ne devaient pas aller au-delà de celles dont le parti était capable.

Autre chose encore : le fameux rapport au pouvoir d'Etat. Un parti doit se poser en candidat à ce pouvoir, en groupe capable d'y promouvoir et d'y gérer un changement réel. Je me souviens que l'un des termes chéris de Michel Rocard était : *crédible*. Le mot me paraît très bien décrire ce que le personnage apportait au P.S.U. Le P.S.U. avait d'abord été un groupe de protestation contre les compromissions de la gauche, en particulier dans la guerre d'Algérie. Il représentait aussi le souci de militants chrétiens de s'intégrer aux luttes politiques, et beaucoup gardaient de leur formation un souci éthique qui allait marquer, qui marque toujours les attitudes politiques du parti. Michel Rocard représentait bien, pour la plupart d'entre-nous, cette intégrité-là. Et pendant un temps au moins, un ton d'honnêteté, et une certaine sincérité ont été pour beaucoup dans son ascendant. Mais il apportait autre chose, à quoi, il faut bien le dire, la plupart des militants n'était pas immédiatement sensible. C'était justement le souci de cette fameuse crédibilité. Nous qui étions des militants davantage portés à la dénonciation des mœurs politiciennes, des trahisons de la gauche, nous qui nous sentions comme des poissons dans l'eau dans les luttes sur le terrain, qui privilégiions toujours une action bien menée dans une entreprise ou dans un quartier par rapport aux réussites électorales par exemple, nous apprenions qu'il serait peut-être important d'avoir une représentation parlementaire ou locale. Et que le P.S.U. ne deviendrait un parti qu'en apprenant à poser les problèmes de la prise du pouvoir. Il fallait à la fois savoir répondre à tout pour se montrer à la hauteur et pouvoir être considéré comme candidat *crédible* au pouvoir.

Je crois que sous ces deux aspects, nous avons, en tant que femmes, en tant que féministes aussi, des réticences et des réserves.

Qu'on me comprenne bien : je me suis toujours battue, et je continuerai à me battre, parce que je pense que c'est une lutte idéologique importante, contre l'idée d'une *différence* dans la manière de comprendre, de raisonner, entre les hommes et les femmes. Mettons définitivement au musée de l'histoire sexiste, l'intuition féminine et la logique mâle. Non, ce que j'aperçois ici est tout autre chose. Pour porter des jugements globaux sur une situation politique, faire une hypothèse sur l'évolution économique à un moment donné, classer et étiqueter les régimes politiques, il faut être ou très fort, ou très vaniteux. Peu de gens sont très forts ; beaucoup d'hommes sont très vaniteux. Mais comme cette vanité-là n'est que très rarement le fruit de l'éducation des filles, de leur histoire personnelle, les femmes se sentent moins portées à ce genre d'exercice. J'ai toujours été très frappée de la grande proximité qu'il pouvait y avoir entre des discours qui se donnent pour sérieux dans le cadre politique, et ce que j'appelle les discours de « café du Commerce ». Entre les hommes qui discutent dans l'atmosphère enfumée de quelque bistrot, la langue un peu déliée par quelque demi ou quelque pastis, et la faconde de certains débats autour de tables que je connais bien, il n'y a pas toujours d'énorme différence.

Rien d'étonnant à ce que ces débats se terminent encore mieux, au-delà du temps des réunions tardives, autour du verre d'après minuit. Qu'on me pardonne mon manque de respect. Mais je suis souvent effarée de la facilité avec laquelle certaines phrases viennent aux hommes, alors qu'elles me terrorisent ou me donnent envie de rire. Quand j'entends commencer les inévitables discours par des mots comme : *Une analyse objective de la période conduit à... l'évolution du rapport des forces impose... la situation européenne est telle aujourd'hui...* Quand ces discours se font face à dix ou quinze personnes et qu'il ne s'agit pas de faire un exposé pour un auditoire, je me demande toujours où certains hommes politiques vont chercher leur esprit de sérieux. Observez-les : la voix baisse de deux ou trois tons, se fait plus grave, plus lente. L'acteur prépare son public. Il va proférer quelques formules si péremptoires que les naïfs se diront qu'une telle assurance doit couvrir beaucoup de connaissances, de constats convergents, de déductions solides. Je connais ce ton là : c'est celui des prêtres au sermon, et des universitaires en mal de formules.

C'est vrai que peu de femmes osent prononcer des formules de ce genre. La pratique journalière du torchon et de la casserole nous a habituées à plus de modestie. Nous partons des petites choses que nous savons, quitte à tenter de comprendre comment elles forment un ensemble ; on nous trouve trop pragmatiques ; c'est que nous ne sommes pas assez hardies.

Il y aurait beaucoup à dire sur cette méfiance devant ce qu'à toujours de hâtif une généralisation, de ce qu'a toujours de simpliste une théorisation, méfiance partagée par la plupart des femmes, et qui leur fait dire généralement qu'elles ne sont pas faites pour la politique, ou qu'elles n'y comprennent rien. Je me souviens de cette jeune femme, médecin, militante du M.L.A.C., et devenue depuis responsable au P.S. qui affirmait, sans avoir trop conscience alors de dire une énormité, qu'elle était beaucoup moins faite pour comprendre quelque chose à la politique que son militant de mari. Lui, très actif, très conscient, très préoccupé des luttes dans les entreprises, lisait avec soin les journaux, pouvait discuter avec pertinence de beaucoup de questions : c'était le moment de Lip, du Chili, etc. Elle, toute médecin qu'elle était, toute militante active du M.L.A.C., trouvait que les hommes comprenaient tout de même mieux la politique que nous, et que c'était plutôt leur affaire.

De manière beaucoup plus banale, je me souviens de toutes ces femmes rencontrées par l'entrebaillement des portes quand nous vendions le journal du parti dans les grands ensembles. La plupart du temps c'était *mon mari n'est pas là* ou *je ne comprends rien à la politique*. C'est ce qui fait aussi que la plupart des militantes, largement aussi actives que les hommes quand il s'agit de participer aux affichages ou aux distributions de tracts, de travailler dans une organisation de locataires ou dans une section syndicale, ne s'autorisent pas à prendre la parole dans un débat général, parce qu'il faut beaucoup trop de hardiesse pour exposer un avis dont on n'est pas sûre. *on pense toujours problème personnel*

J'ai souvent été frappée de la différence d'attitudes entre hommes et femmes dans les débats syndicaux et politiques. Il est des débats politiques où l'important est moins ce que l'on dit et les conclusions auxquelles le débat arrive — d'ailleurs faut-il toujours conclure ? — que le fait d'avoir pu parler et donner son avis. Comme disait le sportif baron : « l'important est de participer ».

Il s'agit alors de sortes de joutes, où chacun doit, s'il veut être au nombre des champions, avoir fait au moins *son petit tour de piste*. Ainsi peut-on, dès le début du débat, inscrire l'ensemble des orateurs. S'il s'agissait d'un débat où l'on écoute les autres, où l'on avance petit à petit vers une conclusion, on ne saurait qu'au fur et à mesure de son déroulement que l'on a besoin ou nom de s'y inscrire. Mais il s'agit bien plutôt de passes de prestige d'où aucun candidat au leadership ne peut être absent. Dans ces joutes-là, peu de femmes interviennent. Et quand elles le font, c'est souvent après s'être si longtemps retenues de parler, en se disant qu'enfin quelqu'un allait bien dire ce qu'elles trouvent si important, que leur discours est beaucoup trop tendu, beaucoup trop chargé d'émotion ; s'il touche juste, il frappera fort ; s'il est un peu à côté de la plaque, il sera d'autant plus aisément tourné en ridicule qu'il a manqué de sérénité.

Mais tout cela n'est que la forme. Si nous avons tant de méfiance à l'égard de certains discours politiques, c'est qu'ils nous excluent aussi d'une autre manière. En étant incapables d'intégrer ce que nous ressentons, nous, comme fondamental. A gauche, aujourd'hui, il n'est pas un discours politique où l'on puisse se passer de *parler des femmes*. Mais comment ? Un paragraphe de motion, un chapitre particulier dans les programmes, un terme dans une énumération. Généralement, pendant des années, j'ai vu les choses se passer ainsi : les forts en thèmes du discours politique préparaient un texte qui devait résumer les analyses et les positions du parti à un moment donné. Cela s'appelle, dans notre jargon de congrès, de conseils, ou de réunions de Directions Politiques, la « résolution politique ». Le travail terminé, nous assistions à la lecture du document. Et quelque femme se levait alors : « vous avez encore *oublié* les femmes ». Agacement, sourires entendus, bonne volonté manifeste : on allait « remettre » quelque part « la question des femmes » ; généralement on incluerait le terme « femmes » dans ces couches mal définies qui doivent devenir « les alliés de la classe ouvrière », avec les jeunes, les immigrés...

Quelquefois, on essaierait d'analyser en un paragraphe séparé le sens et le contenu de leurs luttes. On aurait parlé des femmes. Nous, le bec cloué, muettes et furieuses, nous nous disions que nous n'y arriverions jamais : que le bloc de leur discours était impénétrable à nos analyses. Aurions-nous le courage de mettre en cause leurs belles certitudes, de briser l'œuf bien brillant et bien rond de leur théorie close ? Quand nous disions à la tribune que les questions posées par les femmes remettaient tout en cause : le problème de la division du travail, l'existence d'un travail gratuit non reconnu dans la description marxiste traditionnelle, la première hiérarchie, celle qui existe entre les femmes et leurs maîtres, ils nous laissaient dire, écoutaient poliment, ou nous opposaient quelques remarques sentencieuses sur les travaux qui produisent de la marchandise et sur ceux qui n'en produisent pas. Et puis le ronron reprenait. Il aura fallu à certains les réflexions d'un embastillé du système socialiste, l'allemand Rudolf Bahro, pour admettre que, peut-être, nos remarques avaient quelque valeur théorique.

« C'est trop demander à l'idée de l'abolition de la propriété privée que d'inclure en elle le dépassement des conditions qui, en définitive, ne reposent nullement sur la propriété privée et ne s'intègrent jamais totalement à elle... [3] » Et si le même Rudolf Bahro pouvait qualifier de *retard historique* à prendre en compte dans les analyses « l'exploitation et l'oppression de la femme dans toute la structure patriarcale », alors là, il fallait bien se laisser convaincre. Mais pendant des années il aurait fallu se contenter du raccrochage des « questions femmes » comme annexes à un discours politique venu d'ailleurs. Et par lequel nous n'arrivions guère à nous sentir concernées.

Enfin, un certain nombre d'entre nous ont appris, dans le mouvement des femmes, à se méfier des pièges du pouvoir. Et en bien des sens différents !

---

3. Rudolf Bahrö. *L'alternative*. Editions Stock.

— D'abord sans doute, parce que ce mouvement vise à détruire l'une des formes d'oppression les plus anciennes, celle du père sur la femme et les enfants. En affirmant alors qu'avec cette oppression disparaitraient toutes les autres formes de domination qu'elle avait engendrées. Il y a quelques raisons dans cet espoir. Au moins autant en tout cas que dans le messianisme marxiste de la libération par l'abolition de la lutte des classes. Car l'oppression et l'exploitation d'autrui, qui s'apprennent dès les premières relations de l'enfance, dans la fabrication journalière du modèle familial, forment au sens de la hiérarchie, au respect des rôles préétablis, à l'idée que l'injustice a des fondements naturels.

— Ensuite, parce que ce mouvement est né, entre autres choses, d'une contestation des formes de la délégation de pouvoir politique dont, pendant des décennies, à travers les formes de pouvoir « démocratique », les femmes furent exclues. Avec de curieuses conséquences sur le féminisme. Celui-ci se définissant tantôt comme une lutte pour l'égalité des droits dans le champ politique avec les épisodes éclatants — et durables — des luttes pour le droit de vote et d'éligibilité, tantôt comme la mise en cause de ce champ clos des ambitions masculines, et la perception claire que l'accès à *l'égalité politique*, comme on disait, ne changerait que peu de choses au désordre établi. Sur cette question, le mouvement des femmes a connu et connaît encore, je crois, les mêmes contradictions que le mouvement ouvrier pris entre le désir d'aménager le système démocratique à son profit et l'idée de le transformer radicalement.

— Enfin, parce que nous nous trouvions sensibilisées aux rapports de dépendance à autrui qui se manifestent dans la vie quotidienne, familiale ou amoureuse, nous attachions plus d'importance à ce qui se jouent de rapports de pouvoir dans toutes les relations inter-individuelles. Et nous désirions dépasser ce type de rapports.

Ainsi le mouvement des femmes s'est-il souvent défini contre ces trois aspects des relations de pouvoir : *pouvoir lié à la nature sous la forme du pouvoir patriarcal, pouvoir abandonné par délégation politique, pouvoir*

liant des individus ayant perdu toute indépendance.
Cependant chez les femmes comme chez les hommes,
le goût du pouvoir *existe.* Les groupes ne trouvent souvent leur cohésion que dans un minimum de personnalisation du pouvoir. Le mouvement des femmes a souvent
donné la triste image des caricatures : reconstitution de
clans dominateurs, exercice d'un pouvoir réel par quelques-unes malgré l'absence d'institutions codifiant ce
pouvoir, ou plutôt grâce à cette absence. Car si le temps
libre, l'argent, l'héritage culturel, une situation en vue,
sont autant d'atouts dans la vie politique traditionnelle,
ils le sont aussi dans le mouvement des femmes [1].

Cependant nous devons nous affronter sans cesse aux
rapports de pouvoir avec les hommes, qu'il s'agisse des
relations de couple, de travail ou dans les institutions
politiques. Susan Sontag écrivait « les femmes ne
peuvent être libérées sans que le pouvoir des hommes
ne diminue » [2].

Et il est vrai que, sans conquête de pouvoirs, nous
nous condamnons à vivre en exclues dans une société
fabriquée par les hommes, ou, au mieux, à nous fabriquer quelques ghettos en refusant de voir qu'ils nous
imposent tout de même leurs lois. Mais notre lutte même est fondée sur la contestation de la division des rôles
qui fonde tous les pouvoirs. Prendre la parole nous est
déjà difficile, et nous savons bien quelle dose d'agressivité il faut, dans certaines occasions, pour pouvoir le faire ; au moins pouvons-nous tenter de nous exprimer sans
écraser à notre tour. Mais toute prise de pouvoir ne
réintroduit-elle pas cette oppression que nous voulons
détruire ? Sont-ce des raisons morales de ce type qui
nous font reculer devant le pouvoir à prendre ? Ou le
sentiment que notre désir de pouvoir peut (ou doit)
s'exercer ailleurs ?

Souvent les réactionnaires de tous bords nous ont
répété que les femmes auraient bien tort de vouloir
troquer les pouvoirs secrets et intimes qu'elles exercent

---

1. Voir à ce sujet : Claude Michel, *Toutes les mêmes ?* Editions
Syros.
2. *Temps modernes,* n° 317, décembre 1972.

dans les relations amoureuses, dans la famille, contre l'exercice des pouvoirs institutionnels, plus éclatants mais plus fragiles. Nous avons appris de nos mères à régner sur un homme, sur des enfants, sur l'ordre minutieux d'une maison. Pourquoi nous mêler de cet ordre des choses au-delà de nos proches et de nos murs ? Freud nous a expliqué, après la tradition, que nous n'avions pas de goût pour la création ni le commandement, puisque nous assouvissions dans la maternité tous nos désirs de dépassement et de pouvoir. Une femme bien, c'est une femme « effacée » : de la gomme dans la fabrication de notre féminité. Quoi qu'on en pense, il reste que l'exercice d'une responsabilité et d'un pouvoir politique, pour lesquels les fatigues sont importantes, suppose que l'on jouisse en compensation du double plaisir à dominer par la pensée et le discours la compréhension morcelée du réel, et que l'on prenne aussi plaisir à diriger les autres. Je crois que bien peu de femmes aujourd'hui goûtent assez ces plaisirs-là, pour y sacrifier la sécurité des joies quotidiennes, pour les gagner au risque des affrontements, des conflits, de la cruauté que comportent le jeu politique.

Que l'on m'entende bien. Je ne crois pas possible d'exercer une activité quelconque sans y trouver quelque compensation. Et plus l'activité est coûteuse de temps, d'énergie, plus s'y trouvent attachées aussi des sources de plaisir divers. Peut-être plus que tout autre le responsable politique a-t-il un besoin constant d'être reconnu, apprécié — faut-t-il dire aimé ? Face cachée et fragile de son autorité ? L'accueil chaleureux des camarades du parti, l'écoute attentive d'une salle de meeting, les approbations à la fin d'une intervention, tout cela fait partie de ces plaisirs de réassurance sans lesquels celui (ou celle) qui vit de l'opinion ne tiendrait pas la route.

Dans une interview, Michel Rocard, en janvier 1979, se déclarait un homme heureux parce qu'il s'apprêtait à livrer « une bonne bagarre », je ne manque pas de m'étonner. Je connais peu de femmes qui pourraient se dire heureuses d'une telle perspective. Jeunes chiens faits pour attaquer, jeunes loups prêts à mordre, vieux renards guettant leur proie, tous les vocabulaires de la chasse et de la guerre sont bons pour dire la jubilation masculine à dominer par le discours et le pouvoir.

Et je n'avais jamais si bien senti comme j'étais peu préparée à ce monde que depuis que j'exerce des responsabilités nationales.

J'ai déjà dit combien les activités militantes dans des groupes de base du parti ne préparaient pas forcément bien au type d'intervention que l'on attend au niveau national. Le passage par Sciences-Po ou par l'E.N.A. me paraît plus adapté à ce qu'on attend du « profil » d'un bon dirigeant politique. J'ai souvent remarqué la manière d'intervenir d'un certain nombre de responsables du bureau national qui avaient été désignés à ce poste en raison de leur réussite dans des sections d'entreprise ou des fédérations. Ils ne prenaient la parole que lorsque le débat faisaient appel directement à un jugement sur l'expérience qui était la leur. Pendant plusieurs années, au bureau national, je ne suis intervenue que pour émettre des opinions à partir des contacts que j'avais dans ma fédération, ou pour parler du secteur femmes. Avec le sentiment mal dominé de défendre une position corporative ou minoritaire, alors que « les problèmes des femmes » que je posais auraient dû amener à une autre conception de la politique. Sur les autres sujets, j'écoutais... Je me sentais souvent incompétente, mais, la plupart des temps, je n'osais surtout pas me lancer dans des affirmations générales : « Moi, je pense que... ».

Quant à penser en termes de pouvoir à prendre... J'ai dit, au moment de mon élection au congrès de Saint-Etienne, que si le P.S.U. se donnait une femme comme secrétaire nationale, c'est que ce parti ne représentait pas un enjeu de pouvoir suffisant. Je le maintiens. Je pense que s'il permettait de faire carrière, la bousculade pour les postes de direction y serait bien plus grande.

Je crois qu'il y a des manières de se préparer à faire de la politique qui lient, de manière indissociable, la carrière personnelle et la réussite des idées que l'on veut mettre en avant. Je ne parle même pas des politiciens de droite ou du centre pour lesquels toute carrière politique est avant tout réalisation personnelle. Non, je pense à tous les hommes, et à quelques rares femmes, qui ont pensé leur vie en termes de réussite politique, qui ont par ailleurs des convictions et les défendent, mais qui ne peuvent concevoir de les défendre autrement que dans des postes dirigeants.

Ma première rencontre d'un cas de ce genre avait été celle d'un fils de grand médecin lyonnais, qui s'était inscrit au P.S.U. dès ses débuts. Nous recevant dans la magnifique propriété de campagne de ses parents, il nous avait demandé tout de go quelle place il aurait au bureau fédéral : il n'imaginait pas de militer *plus bas*. Je me souviens de notre commune stupéfaction, mais j'ai compris depuis que si les choses se passent de manière moins simple pour beaucoup, il y a quand même des gens qui se pensent faits pour les tâches de direction avant tout, et qui n'aiment pas s'attarder aux tâches inférieures. Ils sont nés coiffés, disponibles pour la politique, ce sont d'éternels candidats à la candidature qui ont fait de la politique leur activité professionnelle principale. Au P.S.U., c'est vrai, nous sommes peu coutumiers du fait, et le jugement général des camarades du parti veut que l'on ait une certaine pratique des activités militantes *de base* pour se permettre d'accéder à d'autres fonctions. Pourquoi les ouvrier-es ne

Mais plus on va vers les « postes » de direction, plus on trouve un certain type de militant, assez différent finalement de ceux qui composent la base du parti. Et pour quelques raisons bien simples : le P.S.U. n'a de ressources que très modestes, et il n'a pratiquement pas de permanents politiques. Les seuls à assumer les tâches d'organisation locale, fédérale, les tâches de responsabilités nationales, sont donc ceux que leurs activités professionnelles laissent quelque peu disponibles. Il est simple de voir que peu de travailleurs d'entreprises, peu d'employés à quarante heures et plus par semaine vont pouvoir se permettre de soustraire, sur ce qui leur reste de temps pour vivre, les longues heures nécessaires pour les réunions tardives, pour la lecture nécessaire et la préparation des textes, pour les tâches militantes en tout genre. Les militants les plus disponibles seront aussi ceux que leur activité professionnelle prépare davantage à la prise de parole et à l'écriture. On verra alors des fédérations à majorité ouvrière ou, de toute façon, à composition sociale très modeste, se donner comme responsables les seuls qui aient le temps et la formation nécessaire ; d'où l'importance du nombre des enseignants, par exemple, dans les cadres du parti ; et quand on « monte » un peu plus, la présence encore plus massive de ceux que leur formation étudiante a préparés aux « carrières » de la politique.

Il y a peu de membres du P.S.U. qui ne soient pas conscients de tout cela, et les responsables concernés en premier. Mais où sont les solutions ? La première serait sans doute de rechercher des ressources suffisantes pour engager un certain nombre de permanents politiques, parmi ceux et celles que leur profession ne libère pas suffisamment. Mais l'exemple du Parti Communiste montre que, même ainsi, on n'est pas assuré de ne pas reconstituer une caste dirigeante : combien de travailleurs manuels permanents du P.C.F. ne sont pas devenus d'autres intellectuels, simplement formés par le Parti au lieu d'avoir été formés par l'Université, mais tout autant coupés, par une longue carrière bureaucratique, de la classe qu'ils sont censés représenter. Difficulté réelle d'assurer une rotation rapide de ces permanents pour éviter cette coupure. Danger plus grand encore de constituer une caste inamovible et dogmatique, parce que dépendant complètement de la direction du parti qui les a nommés. Une force d'inertie énorme.

Ce serait un danger important si le parti offrait, en échange de ces responsabilités, des avantages de prestige ou de pouvoir importants ; on verrait alors les amateurs de carrière et de « débouchés » politiques tentés de se servir du parti pour leur avantage personnel. Or le P.S.U. ne permet pas cela, et ses élus locaux, ses cadres fédéraux ou nationaux tirent plus de fatigue que de bénéfice de leur place dans le parti. Michel Rocard et quelques autres furent parmi ceux qui le comprirent assez pour engranger ailleurs des *débouchés* à leur action. En terme d'efficacité politique, sans doute. Même si les résultats sont minces quant à l'avancée des idées qu'ils prétendaient ainsi faire passer par le canal du P.S., il n'est pas question de nier pour un certain nombre d'entre eux, cette motivation-là. Voir reconnues les idées que l'on défend, mais ne pas se voir soi-même reconnu, n'est pas toujours facile à supporter.

Je le répète : si le P.S.U. était la voie rêvée pour l'accès à la carrière politique, le lieu où se désignent les candidats à des postes possibles, à des charges électives, comme on dit, on n'aurait pas offert le secrétariat national avec tant de libéralité à une femme. J'en suis triste d'ailleurs, pour ce que cela révèle de difficultés pour mon parti, mais je suis prête à dire pourtant, comme tout le monde, que quand une profession se féminise...

Cependant, j'ai découvert que même dans un parti où les enjeux de pouvoir sont très limités, le fait d'être à un tel poste, et d'y être une femme, suscite des conflits, des oppositions, que je n'aurais jamais soupçonnés auparavant. C'est ici je crois qu'il faut parler de pouvoir réel et de pouvoir symbolique.

Dans toute organisation, quelle qu'elle soit, et quelles que soient les capacités réelles d'action qu'elle ouvre, se jouent des rapports de pouvoir qui n'ont que peu de chose à voir avec l'importance des enjeux, ou plutôt qui sont eux-mêmes des enjeux. Il y a sans doute le pouvoir de gouverner le cours des choses, et l'Etat. Il y a aussi le pouvoir que donne une place dirigeante sur des hommes, quelle que soit la maigreur de l'enjeu que poursuit ce groupe d'hommes. A quoi rimeraient autrement toutes ces querelles pour les petits postes de prestige, qui ne donnent à ceux qui en jouissent d'autre bénéfice que celui de se sentir rassurés sur eux-mêmes par la prééminence qu'ils pensent exercer sur autrui ? Dans la vie politique en France, aujourd'hui, pour quoi vaut-il mieux se battre ? Pour prendre réellement le pouvoir, avec ses risques, ou pour garder tout le bénéfice des situations de prestige, sans les dangers du pouvoir réel ?

Je l'ai dit, je le dis encore. Dans la persistance que manifeste la gauche dans son échec, depuis septembre 77 et mars 78, il me semble qu'il y a beaucoup de cela. Les politiques du P.C. et du P.S. ont conquis deux sortes de pouvoir : l'un très réel, le pouvoir local, avec les possibilités matérielles, mais limitées qu'il offre. L'autre, plus symbolique, mais tout aussi important : celui que donne une place reconnue dans l'opposition. Dans la démocratie à la française, il y a place pour l'opposition de Sa Majesté. Place dans les médias, place dans la répartition des bénéfices de tous ordres qui sont attachés à la représentation locale ou parlementaire. Les trublions dans l'histoire, ce n'est plus cette opposition politique elle-même, qui risquerait de mettre à bas le bel édifice où elle a conquis sa place ; ce sont les forces sociales que sont censées représenter ces organisations et celles qui sont moins imbriquées dans le jeu politique : syndicats, organisations populaires, mouvements contestataires qui dénoncent la règle de ce jeu truqué. *les partis de gauche ne veulent pas changer le système*

Truqué, parce qu'il ne tient dans l'opinion qu'à condition de faire croire que l'opposition s'oppose vraiment et veut réellement la fin du régime en place. Qui continuerait à la maintenir au pouvoir par le jeu électoral, sans cela ? Mais qu'il s'agisse de dire, avec les uns, qu'il faut savoir composer avec les lois du marché, ou avec les autres, qu'on ne touchera pas aux avantages conquis par la hiérarchie, c'est toujours le même discours. Une partie de ce qu'on nomme « l'opposition » a trouvé le moyen de s'assurer des pouvoirs réels et symboliques sans les risques qu'imposerait le passage à la transformation profonde du système. Elle a fait depuis longtemps le fameux calcul des plaisirs et des peines que conseillait le philosophe grec, et elle a opté pour la stabilité : cela ne fait peut-être pas l'affaire de ceux qui n'ont rien à perdre d'un changement de système économique. Mais il y a en France tellement de gens qui s'imaginent qu'ils auraient plutôt à y perdre quelque chose, tellement de petits systèmes de débrouillardise à côté de la grande escroquerie que représente le capitalisme, que beaucoup croient profiter d'un système qui les opprime un peu moins que leurs voisins. Les grands complices du système se trouvent ainsi de multiples comparses chez ceux qui ne devraient avoir, avec la classe aspirant au pouvoir, aucun intérêt partagé.

Dans ces jeux-là, les femmes sont des bâtardes. Le cercle des hommes qui s'intéressent au pouvoir politique est très étroit, trop étroit pour l'ouvrir aux nouvelles venues de la politique. Quelques femmes en vitrine, d'accord, puisqu'on s'est rendu compte que la faveur de l'électorat avait changé à leur égard, et que ce sont des images populaires. Mais c'est bien pour l'imagerie que la plupart d'entre nous sommes là. Les cercles du pouvoir sont et restent masculins ; ils sont aussi hostiles à l'entrée des femmes que pouvaient l'être, dans l'imprimerie, les typographes du début du siècle. Les hommes n'ont jamais protesté contre la participation des femmes au monde du travail, quand il s'agissait de les aider à gagner leur vie, de les soulager de certains travaux pénibles et fastidieux, de les remplacer dans les postes trop mal payés. Mais ils se sont rebellés chaque fois qu'elles se permettaient d'accéder à ce qu'ils considéraient comme des postes dignes d'intérêt : les bourgeois, pour les carrières libérales, les travailleurs manuels, pour ces travaux qu'ils estimaient être ceux de l'aristocratie ouvrière.

De la même manière, nous sommes très bien vues comme militantes : on salue notre courage et notre dévouement, mais les hommes gardent les rênes. Et quand une femme accède à quelque place de responsabilité importante, on peut dire, presque à coup sûr, ou bien que le groupe en question a un mauvais moment à passer, ou bien que le véritable pouvoir se situe ailleurs. Pour le pouvoir comme pour les richesses, il y a les héritiers de droit, il y a ceux qu'un mérite éclatant a mis au rang des héritiers ; et puis il y a les mal-nées, les gens arrivés par erreur et qui ne faisaient pas partie de la lignée.

Certains me disent, au parti, que je suis aussi une intellectuelle parmi des intellectuels dirigeants, et que je n'ai pas à *me sentir d'ailleurs*. Je crois qu'ils se trompent. Pour deux raisons : l'origine ouvrière trop proche, et la province, d'une part ; le fait ensuite que mon activité de trente ans au moins a été largement aussi manuelle qu'intellectuelle. Par le ménage et les enfants. C'est ainsi pour la plupart des femmes. Beaucoup d'entre nous n'auront jamais l'esprit aussi dégagé que les hommes qui ont toute leur vie pensé en termes de projets

1) possibles, de carrière à faire, de grands desseins à accomplir.

Nous ne pouvons pas, quand l'activité politique et militante l'exigerait, changer de ville comme le fait un
homme qui, rentrant le week-end, trouve normal que la
maison ait continué à tourner pendant ce temps-là, que
les enfants soient habillés, soignés, nourris. Nous n'aurons jamais ce brillant désintérêt pour les petites choses
de la vie matérielle, qui rend l'esprit libre pour suivre
avec passion les polémiques des journaux. Nous n'avons
pas ce besoin impérieux qu'ont la plupart des hommes,
même si c'est d'abord faiblesse de leur part, de nous
affirmer et d'écraser les autres dans les discours. Et
dans un milieu où tout se passe par jugements de valeur, où il s'agit toujours de pouvoir se situer dans un
classement, de gagner des points au hit parade de la
compétence et du brillant, nous sommes mal parties.

2) Et puis, gare à celles qui, passant outre ces difficultés,
manifesteraient originalité et autorité à la fois. Car les
hommes ne nous acceptent jamais que comme leurs
« secondes » ; ce n'est pas à nous de penser, mais de
répéter ; ce n'est pas à nous de diriger, mais de traduire une volonté qui vient d'ailleurs ; nous pouvons bien
proposer... mais toute manifestation d'autorité venant
d'une femme sera mal venue pour des hommes qui se
sentent eux-mêmes une vocation dirigeante ; une femme
qui exerce un quelconque pouvoir sera estimée *autori-
taire, dure.* Voyez ce qui se dit de Margaret Thatcher
ou de Simone Veil, ou d'Alice Saunier-Seité. Tout va
bien quand elles s'en tiennent à un domaine limité, où
on peut leur reconnaître une grande compétence, mais
qu'elles manifestent une autorité quelconque...

Loin de moi l'idée de justifier à tout prix les traits de
caractère de telle ou telle. Mais je suis frappée de l'ana-
logie des jugements portés sur ces femmes politiques et
sur les rares femmes ayant accédé à des postes de responsabilité dans le domaine du travail. Peut-être ont-
elles dû, pour s'imposer dans l'univers masculin, se montrer plus autoritaires. Mais ne faut-il pas voir là, surtout,
ce que représente d'insupportable, pour la plupart des
hommes, le fait de se sentir subordonnés à une femme ?

Qui souffre de la femme-chef ? Il n'y aura jamais assez de mots ambigus pour maudire cette autorité des femmes qui ne peut être que trop pesante et trop insignifiante à la fois : caporalisme, mesquinerie, etc. *Nous, les hommes, vous avons fait beaucoup d'honneur en vous comptant presque au rang de nos semblables ; si maintenant vous allez vous y croire, et retourner contre nous un pouvoir que vous ne tenez que de notre bon vouloir...*

Suis-je trop méchante, mes frères en militance ? Vous ne vous êtes jamais sentis ainsi ? C'est vrai que pour les hommes qui font presque profession de se battre contre les inégalités et les injustices, et qui ont intégré, avec plus ou moins de réticences, le discours des féministes, se sentir du clan des oppresseurs n'est sans doute pas agréable. Et je crois bien que la plupart d'entre vous sont prêts à proclamer que les choses, au moins dans le parti, ne se passent pas ainsi, et qu'il faut presque un cerveau paranoïaque...

C'est vrai que, parmi tous les groupes mixtes que je connais, le P.S.U. est sans doute l'un de ceux où de grands efforts ont été faits pour éliminer le sexisme. Il apparaît de moins en moins clairement dans les discours ; beaucoup de militants sinon tous font des efforts considérables pour mettre leur vie quotidienne en accord avec leurs déclarations de principe. Mais je prétends que dans le jeu politique lui-même, dans les rapports de pouvoir à l'intérieur de l'organisation, ce sexisme modèle nombre de comportements. Il est normal que vous ne le voyiez pas, puisque vous n'avez pas vous-mêmes à en souffrir.

Colette Guillaumin[4], parle de l'*hypersensibilité* des *racisés* à toutes les manifestations de racisme, et de leur « extrême finesse des perceptions dans les rapports humains ». Par contre elle note : « Il n'en est pas du tout de même de ceux qui appartiennent au groupes dominants « racisants ». Parmi eux, il s'en trouve un bon nombre pour ne pas connaître pratiquement la relation raciste : ils ne connaissent pratiquement pas de racisés, ils ignorent (et consciemment il est vrai qu'ils

---

4. *Article cité.*

n'en savent rien) les bénéfices concrets qu'ils tirent eux-mêmes, comme tous les membres de leur groupe, de l'exploitation des dominés, ils peuvent même se penser non racistes, car ils sont, ils estiment être en dehors de cette question. Cette attitude de distance et d'ignorance est un privilège (?) de la position de domination ; elle est en tous cas la conséquence de la « liberté » que donne le fait de se trouver du bon côté dans une relation de pouvoir. On peut dire que l'un des effets paradoxaux de la situation raciste est de permettre l'ignorance et de donner la tranquillité individuelle à un certain nombre de membres du groupe dominant. »

J'espère arriver au moins à grignoter cette ignorance de cette tranquillité.

CHAPITRE III

Femmes déplacées

Vous ferez jeûner votre langue et vos yeux ; vous modérerez votre vivacité ; vous réprimerez vos caprices.

ABBÉ REYRE.

L'école des Jeunes Demoiselles, 1849.

1. Politique : vision globale moyen de changer la société

Pouvoir exercé et pouvoir subi, jugements réels et jugements supposés, jeux d'images où l'on ne sait plus bien qui est le modèle et qui est le reflet, tout cela nous entraîne sur des terrains bien peu sûrs. Mais cette insécurité est le sentiment dominant pour qui s'aventure sur les terres étrangères. Et la politique est terre étrangère pour nous, depuis longtemps habitée par des indigènes qui ont leur langue, leurs signes de reconnaissance, leurs codes en tout genre. Nous ne sommes ni assez nombreuses, ni assez guerrières pour les coloniser et imposer notre règle du jeu ; alors nous nous faisons toutes petites, nous tâchons de nous faire oublier ; nous n'avons pas la superbe des touristes ni des conquérants ; nous sommes un peu comme ces provinciaux égarés dans le métro parisien, effarés de se sentir gauches et inquiets, et qui jouent une indifférence détachée pour avoir l'air à peu près comme tout le monde, en jetant des clins d'œil furtifs au tableau des stations.

Toute l'éducation des filles nous avait déjà appris à

cultiver le paraître plutôt que l'être. Attention aux normes du vêtement, aux exigences du maquillage. Une femme doit ceci, une femme ne doit pas cela. Mais comment nous veut-on dans ce nouveau rôle là ? Il va falloir compenser par le sérieux, la dignité, la retenue, ce que, de toute façon, notre présence a de « déplacé » dans leur monde. Quand les bourgeois vinrent au pouvoir dans un monde tenu par les aristocrates, ils cherchèrent à dissimuler leur victoire dans la grisaille d'une apparence terne. Ils auraient eu bien trop peur de commettre des fautes de goût en osant imiter les outrances et les joies vestimentaires des anciens maîtres. J'aimais les jeans et les robes gaies, j'ai mis du beige et un tailleur. Mais cela ne serait pas grand chose si l'exigence de décence ne nous atteignait que dans ces signes extérieurs. Elle nous modèle bien plus encore par les comportements politiques les plus quotidiens.

Voyez la réputation qu'ont le plus souvent les femmes qui ont fait intrusion dans la vie politique de ces dernières années, dans les rangs de ce qu'on appelle les féministes. Rien ne leur a été épargné sur les jugements portés sur leur aspect extérieur ; les hommes, depuis longtemps, ont compris que l'arme du ridicule était, à leur égard, l'une des plus efficaces. Parce qu'elle les isole des autres femmes qui craignent par dessus tout de perdre l'estime de leurs maîtres masculins ; parce qu'elles sont atteintes en elles-mêmes, dans cette insécurité fondamentale qui est le lot de tous ceux et de toutes celles qui innovent. Nous nous battons pour tel ou tel programme politique, c'est entendu ; nous avons tel ou tel objectif précis, c'est encore plus clair ; à moins que nous ne soyons inconscientes, notre bataille de femmes va beaucoup plus loin. Elle entraîne une exigence fondamentale : l'abolition de la division des rôles établie depuis si longtemps et qui modèle toute notre société.

Notre intrusion en politique est révolutionnaire. Alors, comment être tranquilles et rassurées dans cette situation-là ?

Nous refusons les anciens rôles, l'antique partage des tâches et des modèles, nous cherchons à réinventer presque toute la vie, nous ne roulons pas dans la bonne ornière. Dans ces risques que nous prenons hors des normes, la caricature nous menace à chaque pas. Mise en doute de nos motivations : si la vie nous avait apporté les satisfactions ordinaires, nous serions moins avides de changement. Mise en doute de notre équilibre affectif et sexuel : on ne peut en vouloir au pouvoir des hommes quand ils savent nous aimer si bien. Mise en doute de notre lucidité de jugement : ce sont nos humeurs et nos envies qui l'emportent. Mise en doute de notre sens de la mesure : nous ne savons pas bien placer les bornes à ne pas dépasser. Et comment le saurions-nous, nous dont la fonction d'aujourd'hui est de déplacer des bornes ? Vous avez vos normes, vos grands ancêtres, vos dogmes et vos grands livres du bon savoir et de la bonne tenue en politique ; pour les uns ce sont les codes en usage dans le monde du pouvoir établi ; pour les autres, les plus proches de nous, ce sont les références à une histoire dont vous vous sentez les héritiers.

Nous, nous refusons nos mères, même quand leur présence nous obsède ; nous nous cherchons une histoire, quelques ancêtres oubliées, mais elles étaient encore bien plus que nous marginales, ridiculisées, rejetées, accablées de mépris ; vous les avez appelées *suffragettes* quand elles réclamaient le droit d'être citoyennes, *dames patronnesses* quand elles cherchaient à développer les œuvres de charité dans lesquelles vous les enfermiez, *bas bleus* quand elles étaient savantes, *égéries* quand elles s'efforçaient de faire carrière par homme interposé ; et quand elles forçaient votre admiration, c'étaient des *passionaria*. Jamais la simple reconnaissance. Timorées ou outrancières.

Et voilà qu'aujourd'hui, il est de bon ton d'afficher les pourcentages de femmes parmi les adhérentes des partis, de proclamer que l'on permet à quelques-unes d'accéder aux postes réservés, que l'on compte avec satisfaction les rares élues sur les bancs des assemblées, mais on attend toujours que nous nous conformions : entrez, mesdames, faites comme chez nous. Certaines se plieront au jeu ; répondant à l'attente, elles ne dérangeront personne ; elles en rajouteront même, pour se faire accepter, avec une soif formidable d'identification à l'organisation et aux objectifs masculins. Ce sont elles que les hommes placeront de préférence, quand ils ont la haute main sur cette désignation, à la responsabilité des commissions féminines. D'autres chercheront leur voie, mal à l'aise dans une organisation qui n'a pas été faite par des femmes, comme beaucoup de travailleurs se sentent mal à l'aise dans des partis hérités des traditions de la politique bourgeoise.

Ce malaise, il faudrait le décrire par le menu. Je me souviens d'une histoire qui circulait à Saint-Etienne dans les mois qui ont suivi mai 1968. Ce mois-là, comme beaucoup d'autres en France, j'avais participé à des débats, à des meetings, des manifestations. Mais le mouvement, à Saint-Etienne même, était resté très modéré. Comme peu de choses se passaient dans les lycées, et que j'y étais alors professeur, je m'étais donné pour tâche de travailler au développement des débats entre lycéennes, lycéens, étudiantes et étudiants, et professeurs. Nous avions, pour la tenue des réunions, décidé d' « occuper », de manière bien pacifique, puisque nous le quittions tous les soirs, un vaste café de la Fédération des Œuvres Laïques qui recevait habituellement les rares adhérents de l'association et quelques retraités. Le fait d'avoir élu domicile, pour quelques permanences et réunions dans ce qui était une salle de bistrot, provoqua d'abord seulement quelques réactions de la part des responsables des lieux, proches du P.C., et qui étaient plus que méfiants à l'égard de ces événements de mai. Mais les retombées, ensuite, dans la petite histoire locale, furent autrement importantes. Des parents d'élèves allaient racontant que j'avais passé de nombreuses réunions à haranguer les jeunes, juchée sur des tables de café ! Quand une femme se commet dans l'action politique, elle doit savoir qu'elle se prête à toute l'imagerie traditionnelle : harpie ou passionaria, comme on voudra, il importe avant tout de souligner l'indécence et la démesure.

Et de temps en temps, nous saisissant sous le regard désapprobateur d'hommes ou d'autres femmes, nous en venons bien à nous demander si nous ne serions pas excessives, outrancières, déplacées. Je comprends alors les tentatives désespérées faites par les féministes du début du siècle pour rassurer, et le conservatisme familial que suscitait une telle attitude. Je me souviens d'interventions un peu brutales, faites par moi ou par d'autres camarades du secteur femmes, pour rappeler que nous existions, et que l'on avait encore « oublié » — par quel hasard ? — les questions que nous avions demandé de poser. L'air excédé de certains hommes responsables, le regard interrogateur qu'ils adressent à d'autres femmes de l'assemblée pour demander une approbation : n'est-ce pas qu'elle exagère, que toi, qui es plus raisonnable, plus sensée, tu ne te permettrais pas ce genre de discours ?

J'ai retrouvé une allocution prononcée par Pilar Primo de Rivera, la sœur du tristement célèbre dirigeant de la Phalange franquiste. Elle avait été chargée de veiller à l'éducation des filles et à leur embrigadement au service du régime. Ce discours commençait par l'évocation de la honte que devraient ressentir les femmes à l'égard de toute exhibition qui les obligeait à quitter la vie de la maison, de l'intérieur pour lequel elles étaient faites, en prenant part à la vie publique. Cette honte-là, elle revient quelquefois comme par éclairs quand, faute d'arguments, les hommes vous font sentir — quelquefois des femmes aussi — que vous passez les bornes de ce qui vous est concédé, que vous franchissez des barrières interdites. Je me souviens l'avoir ressentie, il n'y a pas bien longtemps, dans une manifestation où je me laissais aller sans vergogne au plaisir de crier des slogans et de chanter. Ceux et celles qui étaient près de moi étaient des camarades de syndicat ou de parti, ils savent que je n'aime guère les manifestations-enterrement. Et puis, est passée sur le trottoir une collègue de l'université, dont les opinions politiques ne sont pas bien éloignées des miennes, mais qui est une femme très rangée, très modérée dans l'expression de ses opinions, très peu militante aussi. Je me suis sentie tout à coup mégère, harpie, hystérique..., toute l'imagerie du débraillé des poissardes et des pétroleuses... Un homme aurait pu, peut-être, se sentir ainsi regardé et jugé. Mais sans doute pas renvoyé à l'image peu flatteuse d'êtres mal dominés, instinctifs et braillards.

Et puis, il est si courant ce renvoi à notre rôle qui nous est signifié par la « vox populi » quand nous prétendons en sortir un peu. En particulier par des femmes qui ne peuvent supporter de se sentir menacées dans la sécurité qu'elles ont tenté de bâtir autour de leur enfermement. Lors de la première campagne électorale que j'ai faite, aux législatives de 1968, je m'étais dit naïvement que l'un des meilleurs lieux d'où moi, femme, je pouvais m'adresser à d'autres femmes, c'était sans doute le marché. Je suis donc allée avec un porte-voix, des tracts, des journaux, pour parler aux femmes qui s'y trouvaient. Cela n'a rien d'original, et les habitués des compétitions électorales sont coutumiers de ce genre d'exercice.

Mais là où le notable local serre les mains et multiplie les sourires, là où les candidats d'opposition se voient acceptés avec bonhommie, ou repoussés avec colère, j'ai suscité plusieurs réactions qui m'ont fait beaucoup reconsidérer ce que mettait en jeu un certain type de rapport aux femmes. Car je n'ai jamais autant entendu de remarques de désapprobation, non à l'égard du programme que je défendais, ni à l'égard de mon parti : cette désapprobation, c'était moi qu'elle mettait directement en cause. Des femmes qui ne me connaissaient pas, et qui me disaient méchamment que je ferais mieux de m'occuper de mes enfants ; que mon mari était bien bête (et j'en passe...) de me laisser militer ainsi ; qu'elles, elles avaient autre chose à faire. Mes enfants avaient alors douze, sept et deux ans. Je devais déjà me battre contre moi-même pour empiéter sur le temps que j'aurais pu passer avec eux, et ces femmes me signifiaient que j'avais raison de me sentir coupable, et que je ne servais finalement pas si bien mon parti que cela, en militant, puisqu'une « femme-politique » faisait peur.

Il me faudra attendre les élections législatives de 1973 pour entendre dire que des femmes voteraient pour moi parce que j'étais une femme. Et je crois qu'il reste vrai que les femmes qui font de la politique effraient. A moins justement qu'elles ne réussissent à incarner ce qui rassure la plupart des femmes sur elles-mêmes et sur leur rôle dans la société : la mère, la bonne conseillère. Les femmes du *courant femmes* du Parti Socialiste notaient, dans le texte qu'elles avaient présenté au Congrès de Metz : « il existe une pensée de droite sur la femme qui lui donne une place : la Famille, où elle est valorisée, sécurisée ». Et elles ajoutaient que la gauche, elle, « n'avait jamais pensé la place des femmes dans la société ». J'ai pu voir très souvent combien le fait d'être une militante politique, et de s'occuper, de surcroît, d'aussi *vilaines questions* que l'avortement, pouvait entraîner de méfiances, de présupposés quant à la vie personnelle.

Je me souviens de ce médecin de *Couple et Famille* qui, ne m'ayant jamais directement rencontrée, se permettait pourtant des jugements sévères sur ma vie et mes comportements. Il fut sérieusement ébranlé, non quand on lui montra la justesse de mes positions, mais quand on lui dit que je m'occupais de mon ménage, que je tricotais des pulls à mon mari, et que je faisais des confitures ! Je me souviens aussi de l'étonnement d'un militant, pourtant pas très éloigné, débarquant chez nous un jour où j'étais de corvée de repassage, et regrettant que d'autres ne puissent me voir ainsi *parce que tu as la réputation de n'être pas très féminine !* Je me souviens aussi de la réflexion toute récente d'une autre femme, très proche du parti, qui se réjouissait d'avoir découvert que mes liens avec mes enfants étaient bons. Elle imaginait que je devais être très distante, très détachée à leur égard. Je rassurerais si j'exhibais le mari, les enfants, la corbeille de repassage et les repas préparés par mes soins ; tandis que mon discours ordinaire, qui refuse l'habituelle division des rôles, et qui décrit la famille comme le lieu principal de cette division, ne peut que mettre mal à l'aise celles qui ne sont définies, acceptées, valorisées, que dans cette structure-là.

Je crois que si la droite aujourd'hui, en Europe, peut mettre en avant certains profils de femme, et s'en faire ses meilleurs atouts, il faut l'expliquer au moins de deux façons. D'abord, ce sont des femmes *respectables :* par l'âge qu'elles ont, par leur statut social, par le fait aussi qu'elles se sont gagné le droit à faire de la politique en sacrifiant d'abord aux rôles traditionnels. Mariées et dignes, mères de famille nombreuse si possible, elles ne sont pas entrées dans la carrière en jetant aux orties les modèles traditionnels. Au contraire, elles montrent qu'il est possible, sans sortir de la discrétion, du bon ton, de l'image la plus rassurante des épouses et des mères, d'assumer, de surcroît, des responsabilités collectives. Les hommes politiques, trop souvent, sont suspects de polissonneries en tous genres ; le standing d'un homme veut cela. Une femme politique doit être irréprochable : triomphe des petits tailleurs et de la photo de famille. Et elle doit entrer dans cette imagerie des femmes supérieures qui « en plus » du reste, sont capables aussi de faire de la politique. Mais vraiment en plus du reste : ne rien sacrifier, réussir une carrière, mais en étant une femme comme toutes les autres. Françoise Giroud s'est permis de dire, il y a bien longtemps, que cela était impossible, et qu'il fallait forcément, si l'on voulait réussir dans la littérature, la politique ou autre chose, sacrifier un certain nombre de ces activités que l'on trouve « naturellement » féminines. Mais je crois que ce discours choque toujours autant ; et que ce qui ajoute au charme des femmes, en politique, c'est bien un certain sens du sacrifice qu'on leur prête, mais du sacrifice consenti de leur temps, pour cumuler les obligations qui doivent rester les leurs. Des femmes de devoir avant tout !

Mais il y a une seconde raison, et plus forte encore : les femmes, plus que les hommes, pour la droite, sont censées représenter les valeurs sûres et la stabilité. Elles assument depuis si longtemps le souci de la vie quotidienne, de la sécurité de tous les jours. Les hommes font la guerre, ils font des grèves, ils manifestent, ils révolutionnent. Et pendant ce temps-là, des femmes veillent à ce que les provisions restent dans les placards, à ce que les enfants soient habillés et nourris, à ce que les choses continuent à tourner quand même. Beaucoup de femmes ont peur du changement, et encore plus de la violence en politique. Parce qu'elles ne sont jamais pour rien dans les changements qui se décident, et que les hommes leur demandent seulement, lorsque tout change, de leur conserver un petit coin de stabilité tranquille. Il y aurait tant à dire sur ces militants des partis de gauche et des syndicats qui se plaignent quelquefois que leur femme les tire en arrière, et tente de les retenir à la maison, alors qu'ils ont tout fait pour les réduire à cette attitude défensive et possessive.

Au secteur femmes du P.S.U., nous avons pris l'habitude d'organiser de temps en temps des rencontres entre les militantes et celles qu'on ne voit jamais dans la vie organisée du parti, et qui sont les femmes des militants. Elles sont souvent venues, réticentes à l'égard de ce parti qui faisait de leur mari ou de leur ami un perpétuel absent ; et quelquefois heureuses de pouvoir participer à des débats dont elles se sentaient exclues. Le « secteur » a beaucoup appris de ces confrontations-là ; j'y reviendrai. Mais, en tout cas, nous avons vu combien de femmes qui n'étaient pas du tout hostiles aux idées que nous défendions, se trouvaient, bien malgré elles, en situation de « conservatrices ».

Je me prends à penser à ces écrits pacifistes de femmes qui furent si nombreux au début du siècle. La plupart du temps, ils partaient de cette constatation : que la guerre était l'affaire des hommes, que les femmes, elles, créaient la vie, élevaient les enfants, qu'elles ne pouvaient qu'être opposées à la guerre. Ces arguments étaient fort peu politiques. Même, quand ils venaient de femmes de gauche, ils auraient très bien pu être retournés contre les luttes politiques, contre les actions ouvrières, contre toute tentative de bouleversement social. Et je crois que c'est dans la logique des choses. Tant que les hommes décident de la vie publique, tant qu'ils font la politique, tant que les femmes sont confinées pendant ce temps aux tâches de subsistance et de sécurité, elles ne fourniront jamais que des troupes — électrices, militantes, — à ceux et celles qui leur promettent l'ordre. L'ordre matériel, familial, moral qui, d'un siècle à l'autre, se perpétue de Mac Mahon à Debré.

Elles qui ont tout à gagner à sortir d'un système où, au nom de l'amour, du dévouement, du devoir ou de la nature, elles accomplissent à longueur de vie des tâches répétitives, jamais reconnues, jamais payées. Elles qui font les frais de toutes les hiérarchies, au bas de l'échelle des qualifications et des salaires. Elles qui n'ont même pas, si souvent la maîtrise de leur propre corps, qui doivent supporter la drague insistante, les violences, et demander la permission aux hommes d'avoir leurs enfants quand elles veulent... Seulement voilà, les groupes qui se disent porteurs du changement sont aussi des groupes d'hommes. Ils sont partis de leur exploitation à eux, dans le rapport de travail ; ils ont oublié ce travail invisible qui s'accomplissait dans l'usine mille fois cloisonnée des appartements et des maisons. Ils ont oublié qu'ils mangeaient des repas préparés par quelqu'une, qu'ils enfilaient des bleus, des blouses et des costumes lavés et repassés, que leurs lits étaient faits et leurs enfants gardés et élevés. De celles-là, qui n'ont pas forcément choisi ces tâches, mais qui ne peuvent pas ne pas les faire, la gauche a oublié de parler. D'abord, n'étaient-elles pas suspectes avant tout de vouloir maintenir les traditions ? Elevées autrefois par les sœurs ou les prêtres, elles restaient toute leur vie attachées aux enseignements d'une Eglise qui avait choisi son camp. Les hommes de gauche, les prolétaires auraient pu les vouloir et les aimer plus libres, affranchies de ces tutelles morales et politiques ; mais comme elles étaient plus sages, plus fidèles, moins inquiétantes, ces femmes formées sur *les genoux de l'Eglise !* Alors la boucle était bouclée. Les hommes de gauche se méfieraient des femmes, éviteraient de les intégrer dans leur projet politique, parce qu'elles auraient mal voté, parce qu'elles étaient marquées par la religion. Et ils continuaient à les vouloir élevées ainsi parce que c'était le moyen de se garder des épouses soumises et des ménagères attentives.

Les choses ont changé, je veux bien. Mais les femmes qui font de la politique hors des clans conservateurs sont doublement suspectes. Elles sont des images vivantes de la destruction de l'ordre familial ; elles ne sont donc plus des femmes. Elles deviennent des femmes maléfiques, quand leur vocation serait de rassurer : *nous aussi, des sorcières ?*

Pourtant, les choses seraient faciles si les obstacles ne venaient que de l'extérieur, celles et ceux qui ne partagent pas nos opinions et nos combats. L'ennui, c'est que nous nous heurtons, là où nous avons décidé de lutter, aux « maux d'ordre » que nous dénonçons : les formes mêmes de ces organisations que sont les partis politiques.

Sont-elles acceptables par les femmes ? Pouvons-nous les accepter ?

CHAPITRE IV

Les pyramides sont des tombeaux

> *Tout progrès en direction de la liberté au travers des structures existantes devra être conquis sur la forme institutionnelle que s'est donné hier le royaume de la nécessité,*
>
> RUDOLF BAHRO.
> L'alternative.

> *Nous, femmes, nous ne nous occuperons pas d'aider le despotisme à changer de mains, ce que nous voulons, ce n'est pas déplacer, c'est tuer le privilège.*
>
> HUBERTINE AUCLERT.
> La citoyenne - mai 1885.

Un parti politique, quel qu'il soit, est une organisation hiérarchisée. Au P.S.U., nous dénonçons les systèmes hiérarchiques, dans la production, dans l'école, dans l'armée, etc. Mais nous ne sommes pas parvenus à règler son compte à la hiérarchie dans le parti lui-même. Nous avons souvent répété cette formule que les camarades de Lip avaient rendue célèbre : « la hiérarchie, c'est comme les étagères, plus c'est haut, et moins ça sert ». Mais le parti reste cependant une sorte de pyramide.

Sans doute a-t-on beaucoup fait, chez nous, pour atténuer les effets de l'organisation hiérarchisée. Et ceci surtout à partir du moment où Michel Rocard prenant goût à la carrière, nous nous apercevions un peu tard que le parti pouvait être confondu avec ses dirigeants, et qu'il suffisait d'un changement d'orientation de certains d'entre eux pour remettre en cause la vie du parti lui-même. Ainsi 1974 vit-il fleurir, au moment où le secrétaire national [1] et quelques équipes départementales s'en

---

1. Michel Rocard, mais aussi Robert Chapuis, secrétaire national du P.S.U., alors en poste.

allaient avec lui au P.S., des recherches d'organisations anti-hiérarchiques, suscitant, de ci de là quelques accusations inverses de *basisme*.

Les bureaux fédéraux[2] qui « dirigeaient » le parti dans les départements ou les régions devinrent souvent de simples collectifs, où l'on évitait de désigner un secrétaire fédéral en titre. Les sections locales eurent aussi des collectifs de section au lieu de bureaux et de secrétaires. Tout ceci sans aucun mot d'ordre concerté. Changeait-on pour autant profondément la réalité du parti ? C'était un effort réel pour éviter la personnalisation des responsabilités et leur permanence, mais souvent, malgré les différences de termes, la réalité restait la même.

Au Congrès d'Amiens, qui suivit et l'expérience de la lutte des Lip et le départ de Rocard, le débat de loin le plus animé n'eut pas lieu, comme pourraient le faire croire les résolutions adoptées, sur *l'Unité Populaire*, qui était le thème dominant du congrès, mais sur la réforme de structures. Et, sur ce point, le débat portait avant tout sur les moyens que pouvait avoir la base de contrôler, de récuser et de renouveler les membres de la direction politique nationale. A l'opposé de cette exigence, une autre, démocratique elle aussi : que chaque élu de la direction puisse l'être sur un choix de ligne politique (une tendance) et ne puisse être remis en cause même s'il était minoritaire sur cette ligne politique dans sa section ou sa fédération. Cette contradiction entre la volonté de mettre les dirigeants du parti sous le contrôle de la base, et la nécessité de laisser s'exprimer des tendances politiques différentes, même minoritaire, est très réelle. Au parti communiste, par exemple, seule la ligne majoritaire dans chaque groupe de base, puis dans les fédérations se trouve représentée au Congrès et dans les votes, et, à la limite, une « minorité » de quarante pour cent dans chacun des groupes de base peut se trouver réduite à zéro au niveau de la direction nationale. Mais, par contre, chaque groupe régional peut

---

2. Fédéral signifie généralement départemental, parfois régional.

se dire représenté ; c'est vrai qu'il n'a guère de pouvoir de révocation !

Bref, pour le P.S.U., le problème était, est toujours, de trouver un équilibre entre la représentation régionale, qui permette un contrôle des élus politiques par ceux qui les ont désignés et les voient agir au jour le jour, et la représentation de courants politiques, qui peuvent se trouver animés par des camarades d'une ville ou d'une région où ils sont eux-mêmes minoritaires. Depuis quatre ou cinq ans, je n'ai vu aucun congrès du P.S.U. qui ne soit amené à revenir sur cette difficulté, en imaginant des solutions plus ou moins bâtardes. Une chose est sûre cependant : ce qui guide les délégués du parti dans ces recherches est le double désir de la représentation réelle de la base du parti, base entendue aux deux sens de réalité locale et de courants divers. Le centralisme, si démocratique soit-il, a peu de partisans au P.S.U., et l'on ironise plus volontiers sur l'incapacité que nous avons à maîtriser l'expression des courants divergents que sur l'excès d'autoritarisme.

Il règne aussi, dans le parti, un certain sens de l'irrespect, qui vient peut-être de ce qu'il est petit, et qu'il faudrait bien se gonfler de vanité pour y croire attaché un pouvoir d'importance. C'est aussi l'héritage d'un fond libertaire marquant la plupart de ses membres. Il est vrai que les militants plus soucieux d'ordre, de sécurité, ou de réussite personnelle et de pouvoir que de liberté et d'initiative se retrouvent rarement au P.S.U.

Cependant, ce serait vouloir ignorer ce que toute structure produit de stéréotypes et d'inertie, que de nier l'existence d'une hiérarchie de fait, au P.S.U. lui-même. J'ai déjà eu l'occasion de dire que le manque de moyens matériels, qui évite la production des appareils pesants et des petits apparatchiks, peut être aussi à l'origine de prises de pouvoir non contrôlées, de la part de ceux qui possèdent, par ailleurs, le temps libre, l'argent, et surtout la formation nécessaire pour avoir un minimum d'activité politique. Mais je veux parler ici d'autre chose : des modèles hiérarchiques, ancrés si fort dans toute organisation, que même ceux qui se sont donnés pour tâche la recherche d'une société autogestionnaire finissent cependant par s'y conformer.

S'il s'agit d'abord d'être efficace, la transmission de l'information et des directives communes doit partir d'un centre et se diffuser rapidement, sans trop d'altérations successives, dans tout le réseau que constitue le parti. Pour cela, l'existence d'un sommet, avec une structure de diffusion en « parapluie » ou en « étoile », comme on voudra, paraît assez indispensable. Qu'on me permette ici quelques réflexions sur le fonctionnement interne indispensable. Si une décision est prise lors de la réunion du bureau politique, de participer à une manifestation nationale, une *directive* partira le lendemain dans toutes les fédérations. Elle sera peut-être répercutée dès le surlendemain dans les sections, et chaque adhérent, si cela est urgent, pourra en avoir ainsi connaissance ; ceci bien que les médias ne fassent pas place à cette décision, et bien que nous ayons nous-mêmes des moyens de presse très limités.

D'emblée, cependant, intervient une première difficulté. A supposer que nous ayons tous choisi et accepté l'idée d'une direction centrale, et d'une homogénéisation, par ce biais, des positions et des actions du parti, la transmission, très rapide et efficace dans ce sens, remontera bien plus difficilement les mailles du réseau.

Il y a d'abord toutes les réticences, ou les pudeurs, ou la répugnance à se mettre en avant de bon nombre de ces militants locaux qui animent pourtant la vie du parti. L'un d'eux me disait récemment qu'il ne se permettait de décrocher le téléphone pour appeler le bureau national qu'en cas d'extrême urgence, ou parce qu'il estimait connaître un élément local qui devait, de toute façon, être ignoré de Paris. Parce qu'il avait scrupule à déranger des gens qu'il savait très occupés. Et qu'il lui paraîtrait outrecuidant d'imaginer que « là-haut », comme il disait, on n'ait pas déjà pensé à ce qu'une section locale venait de découvrir. Intériorisations des systèmes hiérarchiques. Et phénomène très caractéristique de toute une catégorie de militants politiques, les meilleurs que je connaisse. Alors qu'il existe, papillonnant autour du siège national ou à la direction politique un certain nombre de beaux parleurs toujours prêts à émettre quelque avis péremptoire.

Cependant, s'il est très simple pour un secrétaire de section locale, ou même pour un adhérent, de donner son avis directement au secrétariat national, puisqu'il n'existe aucun filtre pour cela, il ne sera guère possible pour le même secrétaire, encore moins pour l'adhérent, de faire connaître cette opinion dans l'ensemble du parti, à moins que le secrétariat national ne le juge si digne d'intérêt qu'il la fasse connaître le plus rapidement possible par sa presse. Quand il s'agit des fédérations du parti, elles font parfois connaître directement leurs positions et leurs initiatives à l'ensemble des autres fédérations, puisque chaque secrétaire fédéral est en possession de la liste d'adresses des autres. Mais comme les moyens matériels de chacune de ces fédérations sont souvent limités, il y a peu de risques pour qu'apparaissent réellement plusieurs centres d'initiatives de la vie du parti, et, généralement, nous admettons que la discipline minimum veut qu'il y ait un centre de décision unique, qui reste la direction politique nationale, et entre ses sessions le bureau politique.

Une circulation de l'information en sens varié est donc possible, encore que limitée par la faiblesse des moyens, mais le pouvoir de décision de congrès à congrès appartient, par délégation, à un groupe restreint ; d'autant plus restreint que les décisions, c'est vrai, se prennent le plus souvent, parce qu'elles ne peuvent attendre, dans le bureau politique qui, lui, ne compte que vingt membres.

Je m'en veux d'insister sur des choses aussi banales, mais elles sont le cadre nécessaire si l'on veut tenter d'analyser les rapports réels entre les individus. Ceux-ci s'expriment d'ailleurs dans le vocabulaire courant du parti : au P.S.U. comme ailleurs, on « monte » à la direction fédérale ou nationale ou au bureau politique ; on « redescend » à la base.

Autre élément d'importance : un parti politique ne vit pas en autarcie. Son rôle même étant d'agir dans l'opinion publique, il est forcément aux prises avec tout le système des médias. Et là intervient le jeu de la personnalisation. Paradoxalement, plus une organisation est petite, plus elle est menacée par ce jeu-là. Quand on a droit à une émission de temps en temps sur les antennes, quand les prises de position doivent passer dans les fatidiques « une minute trente » de la radio ou de la télévision, il devient difficile d'habituer le public, pour si peu de temps, à beaucoup de voix et de visages. On choisit donc la politique du porte-parole, sinon unique, au moins principal.

On confond alors le parti et celui ou celle qui s'exprime pour lui. Michel Rocard parlait pour le P.S.U. : il devint vite, par presse interposée, le P.S.U. lui-même. A tel point que nous avons eu, c'est vrai, le plus grand mal à affirmer que le P.S.U. continuait à vivre quand il en partit. Sans doute cela tenait-il beaucoup au prestige et à la qualité de l'homme. Mais au moins autant au système qui a besoin de fabriquer des images et des vedettes pour faire passer les idées. Je suis très frappée, à ce propos, de l'ambiguïté de ce qu'on appelle l'impact de la télévision. C'est une image qui s'impose, un visage, une voix. Et avec tout cela, la sympathie ou l'antipathie provoquées. Mais le message qu'est censé porter ce visage n'est pas, pour autant, clairement perçu. Dans les moments où j'ai eu à faire, exceptionnellement, quelques interventions télévisées à des moments rapprochés, j'ai souvent rencontré des inconnus qui me disaient qu'ils m'avaient aperçue à la télévision. Mais l'imprécision de leur observation était remarquable. Les uns me demandaient si c'était bien dans une émission politique qu'ils m'avaient vue, les autres au nom de quelle organisation j'avais parlé...

Tout cela fait perdre quelques illusions. Mais il reste que le porte-parole accrédité d'une organisation devient aussi un personnage un peu à part dans le parti. Et s'il veut jouer du pouvoir que lui offrent les médias, il peut, c'est bien connu, tenter de diriger le parti de l'extérieur, en imposant une image qui n'est pas forcément celle qu'ont choisie les militants. Le parti peut, délibérément, refuser de jouer ce jeu, et ne privilégier que l'expression collective. Il sera alors boudé par les mass-médias. Nous l'avons souvent expérimenté, Michel Mousel et moi, quand nous essayions de faire passer des communiqués au nom du parti. Le même texte, qui se disait « déclaration de Michel Mousel » ou maintenant d'Huguette Bouchardeau, avait plus de chance de « passer » que s'il était simplement du « bureau politique ». Et plus l'organisation est petite, plus elle aura de mal à imposer, dans le très faible espace qui lui est imparti sur les ondes ou dans les journaux, plusieurs noms ou plusieurs visages.

Il est difficile bien sûr de savoir où finit la nécessité et où commence la complicité. Les médias sont un si bon moyen de s'imposer à l'intérieur du parti lui-même ! Un journaliste connu pour l'importance des invitations qu'il adresse à des dirigeants politiques nous disait qu'il éprouvait lui-même les contre-coups du système, et que, s'il se permettait de « descendre » de trois ou quatre degrés dans les échelons du P.S., en invitant à ses interviews tel ou tel dirigeant de deuxième ou troisième rang, il ne pourrait plus ensuite inviter le secrétaire national lui-même, qui s'estimerait blessé d'avoir été « coiffé » par ses collègues moins haut placés.

Ainsi, à moins de trouver des porte-paroles qui ne soient qu'un écho sonore, et auxquels l'organisation demandera surtout de ne plus penser par eux-mêmes, et de n'être que des traducteurs fidèles de la pensée collective, les partis, les syndicats, doivent compter avec ce problème de dirigeants dotés d'un pouvoir accru puisqu'ils s'adressent aux membres de l'organisation par-dessus tous les réseaux de transmission normaux. D'autant plus que de leur « réussite personnelle », dépend la réussite même de l'organisation. Aujourd'hui, bien passer à la télévision, comme on dit, est devenu un des éléments importants du « profil » des dirigeants politiques. Mais, si l'on ne passe pas forcément bien en étant sincère, je vois mal comment on passe bien en ne l'étant pas. La force de conviction nécessaire suppose, ou bien que l'on défende ses propres idées, ou bien qu'il y ait adéquation parfaite entre les idées de l'organisation et les siennes. D'où ce fameux « charisme » qui ferait qu'à un moment donné, un individu serait capable d'incarner, ou presque, les idées, la réalité d'un mouvement. Toute la difficulté sera alors de faire que cette adéquation dure. Je ne crois guère pour ma part qu'un individu puisse ainsi représenter tout ce qu'une organisation a de divers, et dans ses composantes, et dans le temps.

Problèmes imposés par les médias, problèmes de l'organisation de toute la vie administrative aussi. Il est plus que banal de dire que tous les sièges de partis, d'organisations, d'administrations sont à Paris. Et qu'il faut être là pour régler les questions de relations entre les groupes, des contacts avec la presse, de rapports avec tout ce qui émane du pouvoir d'Etat. *Monter* à Paris signifie toujours, dans l'organisation politique comme ailleurs, se rapprocher du pouvoir.

Aussi, pour toutes ces raisons mêlées, n'arrive-t-on jamais à faire clairement la distinction entre ce qui devrait être une fonction, et ce qui se trouve être un supplément de pouvoir. Une hiérarchie pourrait être simplement fonctionnelle si elle consistait à dessiner des nœuds de retransmission des décisions et de l'information. Mais le lieu d'où partent les décisions est aussi le lieu où quelques-uns les prennent. Le lieu d'où part l'information est aussi celui qui la reçoit... et la trie. Ainsi le centre est-il toujours en avance de quelques longueurs sur les autres. Il n'est pas, comme dans l'espace géométrique, un simple lieu de convergence et de départ. La fonction confère un pouvoir, et l'ordre hiérarchique demeure.

Or, de cette hiérarchie comme des autres, les femmes vont se trouver victimes. Subalternes et exécutantes. Non par un quelconque ostracisme délibéré à leur égard, mais parce que le parti, si volontariste soit-il, ne peut ignorer certaines pesanteurs.

J'ai assisté pour la première fois à une réunion de secrétaires fédéraux du parti en 1973, le 15 août, en plein cœur de l'affaire Lip. Sur les soixante-dix secrétaires présents, à peu près, il y avait deux secrétaires fédérales femmes. J'ai revu une réunion du même type l'an dernier : je crois qu'elles étaient quatre ! *Doublement !*

Au bureau national du parti, il n'y a toujours que quatre femmes pour vingt postes, et avant le dernier congrès, nous avons dû nous contenter d'être deux sur vingt pendant deux ans ! Pourtant notre direction politique nationale compte aujourd'hui près de vingt femmes sur soixante-dix, une proportion proche de la représentation réelle des femmes dans le parti (37 % d'adhérentes).

Pourquoi ce décalage ? L'explication est très simple ; les femmes ont revendiqué le droit à une représentation politique dans le parti qui soit conforme à la composition du parti lui-même et, au congrès de Saint-Etienne, chaque liste de candidats à la direction politique nationale devait comporter cette proportion. Ce fut fait, et, à un détail près, la représentation est correcte. J'avais demandé aussi qu'une proportion du même ordre soit respectée au bureau politique, qui est l'organe exécutif de la direction. Le principe était bien accepté, mais il se révéla inapplicable ; non parce que la bousculade des hommes aurait interdit aux candidates l'accès de ces postes : le nombre de ces postes, à l'inverse de la direction politique, n'est pas fixé, et il dépend de la répartition des tâches. Mais, pour la plupart des femmes militantes, les tâches d'un bureau national sont trop lourdes. Seraient-elles même plus libres que certaines s'estimeraient incompétentes pour assumer ces tâches !

Les femmes acceptent donc d'être candidates à la direction politique, qui ne se réunit que tous les deux mois, et à laquelle on peut assister sans forcément intervenir, tout en pesant par les votes sur les décisions elles-mêmes. Mais il est difficile de penser que l'on va devoir suivre le rythme de la réunion hebdomadaire du bureau politique, surtout quand on vient de province, ou que l'on a des enfants encore petits.

Cette difficulté à cumuler les tâches est très réelle, et c'est elle qui explique aussi la très faible proportion des femmes parmi les secrétaires fédéraux. Le poste comporte peu de prestige, mais beaucoup de responsabilités, et qui veut le remplir correctement doit jouir d'une grande disponibilité : peu de femmes se sentent assez libres pour cela. Et puis, peut-être, alors que le « secteur-femmes » du parti est bien organisé nationalement, et a pu imposer un certain quota de femmes à la direction politique nationale, il n'est pas toujours aussi présent pour les choix dans les fédérations ; il est plus facile d'imposer une proportion dans un groupe nombreux, qu'une candidature féminine contre une candidature masculine. De toute façon, le problème ne se pose vraiment qu'à de très rares exceptions en termes de rivalités ; il s'agit bien plutôt d'un refus assez massif des militantes d'accepter ce genre de tâches. La première des raisons alléguées est le manque de temps. Pourtant les militantes en question sont souvent de celles qui accomplissent très volontiers un certain nombre de travaux pour le parti où elles ne mesurent guère leurs heures ; et puis, on les retrouve très souvent dans des fonctions qui, si elles représentent le degré « subalterne » de la hiérarchie, demandent aussi un investissement important : secrétaires de sections ou de groupes par exemple.

Je crois donc qu'il y a autre chose : le refus de la plupart d'entre nous de se trouver placées à certaines responsabilités centrales, peut-être par peur d'être incapables. Enfin ce mécanisme bien connu : quand il s'agit d'être à plusieurs dans un groupe, même si ce groupe est investi d'une certaine autorité et d'un certain pouvoir, les femmes acceptent de poser leurs candidatures. Dès qu'il y a un quelconque problème de concurrence, les femmes s'effacent avant même qu'on le leur demande. Ce phénomène avait été très clair lors des dernières élections municipales pour la constitution des listes de gauche. Généralement, les partis avaient prévu, parmi leurs candidats, un certain nombre de femmes, sans doute plus grand du côté du P.C. que du P.S. ; mais elles étaient là tout de même. Et puis, il fallut discuter de réductions des postes pour tenir compte de la représentation des différents partis ; et là, on vit la proportion des femmes s'effondrer. A la différence des hommes, très peu d'entre elles « s'accrochaient » au poste convoité.

Ainsi, dès qu'il y a rivalité pour la « conquête » d'une place quelconque entre hommes et femmes, si ingrat soit le poste, si mince soit le pouvoir qui s'y attache, la complicité s'établit : les hommes se maintiennent et les femmes s'effacent ; ainsi s'explique leur disparition progressive tout au long de la pyramide hiérarchique. Si les « quota » permettent de résoudre quelques-uns des problèmes posés par la sous-représentation des femmes dans les organisations politiques, ils laissent à peu près entière la question de la disparition progressive de la représentation féminine dans la pyramide bien réelle des pouvoirs attachés aux fonctions. Pour ces raisons, le scrutin de loin le plus favorable aux femmes sera le scrutin de liste. Le scrutin majoritaire uninominal que nous connaissons en France pour la plupart des élections est le pire pour elles, comme pour toutes les minorités. Non qu'elles soient elles-mêmes minoritaires, mais à cause des difficultés à s'imposer « contre » les hommes candidats à la candidature.

Avec toutes les difficultés supplémentaires du « savoir parler » et du goût pour l'intervention publique. Et là, dans leur élimination des systèmes hiérarchiques, les femmes vont se retrouver sur le même plan que beaucoup de travailleurs manuels. Avec eux, elles partagent déjà, quelle que soit leur carrière à elles, la surcharge du temps. Avec eux, elles vont partager aussi la difficulté réelle ou imaginaire à intervenir. Et comme la capacité à prendre la parole, à tenir la scène publique, fait partie des caractéristiques de l'intervention politique...

Je voudrais bien pouvoir dire que tout cela n'a pas d'importance : qu'il y a des gens faits pour certaines tâches et d'autres pour d'autres. Et que dans un parti où compte avant tout le travail collectif, il importe peu que l'un soit au sommet et que l'autre soit à la base, et qu'il y ait plus de femmes ici que là. Mais ce serait faire preuve de naïveté, et croire, comme certains nous le disent quelquefois, que les hommes peuvent tout aussi bien que les femmes prendre en compte les problèmes qu'elles posent et se faire les défenseurs des luttes de femmes.

Le premier numéro spécial du journal du parti que nous ayions réalisé sur les femmes en 1972, titrait à la une : *Nous n'aurons que ce que nous prendrons.* Je crois la formule toujours juste. Mais je crois que pour « prendre » dans un parti, il faut malheureusement être placé à certains points stratégiques. Nous ne pouvons espérer imposer notre point de vue, si ceux qui décident au jour le jour ne pensent que par raccroc aux problèmes que nous avons posés. Un certain nombre de questions posées par les femmes dans le parti ne sont pas éliminées de manière calculée au nom d'un ostracisme quelconque. Je l'ai expérimenté. Et j'ai déjà montré comment fonctionne le système permanent d'*oublis* de ces questions.

La logique dont relèvent la plupart des discours politiques de gauche ou d'extrême gauche est assez imperméable aux problèmes que nous voulons poser : celui de la division traditionnelle des rôles entre les hommes et les femmes, celui de la place du travail ménager dans l'économie, celui du temps nécessaire pour la reproduction de la force de travail, celui de la dépendance dans les rapports sexuels et dans la vie familiale. Bref, tout ce qui justement est assigné depuis longtemps, dans la culture politique, à la sphère du privé, opposée à celle des rapports sociaux qui devraient être réglés par la politique. Que les femmes fassent de la politique comme les hommes, sans favoriser cette intrusion du privé dans le politique, et elles seront sûres d'être bien accueillies. Qu'elles prétendent que la pensée politique sérieuse se penche sur ces problèmes, pourtant aussi quotidiens que ceux de l'usine, du bureau, de l'immeuble ou du quartier, et elles se trouveront alors placées, non devant une mauvaise volonté systématique — je parle ici du P.S.U. — mais devant une incapacité à intégrer ces questions à ce discours politique né dans le mouvement ouvrier, et modelé par le marxisme. Il faut que les femmes imposent leurs problèmes et qu'elles s'imposent. Et cela ne peut se faire qu'à condition d'être placées là où s'élabore la théorie, là où se fabrique la politique. Donc aux postes clés de la hiérarchie.

Pourtant, on pourrait penser qu'elles ont aussi une autre tâche, qui serait justement de mettre en cause cette hiérarchie elle-même. Je crois que c'est vrai. Elles sont bien placées pour cela, à condition qu'une naïveté trop grande ne les condamne pas une fois de plus à jouer les petites dindes de la farce. Car une mécanique bien connue les entraîne à mépriser le pouvoir et à refuser les pouvoirs. Vouloir s'imposer dans un groupe, n'est-ce pas un retour à ces valeurs masculines que l'on critique par ailleurs ? N'est-ce pas vouloir singer les hommes que de les imiter dans la conquête de ces fragiles chefferies qui les rassurent sur eux-mêmes ? On voit bien vers quoi glisse la pente. Laissons aux mâles le pouvoir puisqu'ils sont incapables de trouver d'autres rapports plus égalitaires, plus chaleureux, plus amicaux. Nous voilà renvoyées une fois de plus aux valeurs de la sensibilité et de l'amour ; laissons la lutte à nos frères. Les vraies femmes auraient tellement de compensations par ailleurs : tendresse, maternité. Elles oublieraient, dans la lutte pour le pouvoir, ce qui fait la valeur de leur différence. Et que voilà un bon moyen d'éliminer des rivales quand elles seront gênantes ! Vaillantes et combatives dans les luttes communes, d'accord ! Courageuses pour supporter un certain nombre de tâches ; bien sûr ! Mais assez désintéressées pour abandonner les postes supérieurs dans la vie professionnelle, et sachant se tenir à leur place dans la vie des organisations, encore mieux ! Mais, puisque le freudisme a fourni sur ce point quelques mots, à défaut d'idées neuves, elles seront *castratrices* quand elles prétendent occuper les citadelles du pouvoir masculin.

Je ne vois donc qu'une solution pour les femmes qui voudraient mener, dans un parti politique, une lutte qui place, au centre des objectifs de l'organisation, les problèmes qu'elles posent : conquérir dans cette organisation suffisamment de postes de pouvoir, pour être assurées qu'elles pourront bien infléchir la politique de l'organisation en cause. Mais comme il y a de grands risques, dans la conquête de ces pouvoirs, de se conformer aux habitudes prises et d'être d'autant plus attirées dans le camp des maîtres que l'on est peu nombreuses à franchir les barrières, il faut s'assurer par ailleurs de l'existence d'un collectif de femmes qui rappelle sans cesse les objectifs de départ. Nous avons, je crois, la chance au P.S.U. que les objectifs du parti concernant la recherche d'une pratique autogestionnaire coïncident avec les remises en cause de la hiérarchie dans le mouvement des femmes. Cette remise en cause de la hiérarchie n'est pas accidentelle. Elle ne signifie pas seulement la préférence pour telle forme organisationnelle contre telle autre. Elle repose sur une réflexion sur la nature même de l'exploitaton du travail et singulièrement sur l'exploitation dans le rapport homme-femme.

Nous avons dit et répété souvent au P.S.U. que les retombées totalitaires du régime stalinien n'étaient pas de simples avatars d'une situation historique et politique. Le système politique des pays de l'Est est d'abord porté par un certain rapport entre les hommes dans la production elle-même. L'approbation collective des moyens de production s'est réalisée par une prise en charge étatique, sans que soient transformés les rapports de production entre les hommes eux-mêmes. Le processus de production est resté le même, hiérarchisé, morcelé, le travailleur y étant coupé de son travail et du projet qui le sous-tend comme dans le mode de production capitaliste. L'Etat est resté le grand maître d'œuvre de l'économie et de l'organisation sociale au lieu d'être renvoyé, comme le souhaitait d'Engels, « au musée des vieilleries avec le rouet et la hache de pierre ». Le travailleur n'avait plus de patron capitaliste sans doute, mais il gardait un patron étatique. des chefs, et toute la hiérarchie bureaucratique parce que la division du travail était restée la même.

L'autogestion suppose d'abord une révolution économique d'une autre envergure, qui remette en cause cette division du travail dans la production et dans le reste de la vie quotidienne. Elle suppose remis en cause les premiers rapports de subordination qui existent dans la définition de tâches par les uns et de leur exécution par les autres. Il est évident qu'elle devrait contester aussi la première forme de la division du travail, sans doute la plus ancienne et celle que l'on persiste à considérer comme la plus « naturelle », la division du travail entre hommes et femmes, et les rapports hiérarchiques qu'elle implique.

Nous avons placardé en 1978, une affiche qui a été très discutée dans le parti, dont le texte était : « trent-cinq heures : du temps pour vivre et pour partager les tâches ménagères ». Certains y ont vu une concession facile à un « secteur femmes » un peu trop revendicatif, d'autres un argument accessoire en faveur d'une revendication qui, de toute façon, avait d'abord été énoncée par les hommes et trouvait, dans l'analyse syndicale, sa justification. Peu ont reconnu que, dans ce slogan, le plus révolutionnaire n'était pas la revendication de l'abaissement du temps de travail, mais l'idée qu'une autre société pouvait être en germe dans une autre distribution des tâches quotidiennes. Certains n'ont donc vu qu'un argument supplémentaire en faveur de ce qui, pour eux, était de toute façon une lutte juste. Les femmes responsables de l'affiche y voyaient une tentative d'illustrer des changements en profondeur par des revendications quantitatives. Peu importe, je crois ; les prises de conscience dans une organisation politique ne se font pas toutes en même temps, ni par les mêmes voies. Il reste que la recherche d'une société autogestionnaire nous paraît le seul cadre où puisse être mise en cause la plus vieille des hiérarchies.

Mais comment rester fidèles à un projet, quand le modèle même des organisations politiques pousse au contraire à la constitution de pyramides, aux antipodes des recherches d'égalité ? Entre les groupes informels, ce qu'on nomme les mouvements, et le centralisme bureaucratique qui domine les partis politiques, nous nous devons de trouver des solutions. C'est vrai que le refus de l'organisation, inspiré par une peur panique des reconstitutions de hiérarchie, condamne nombre de mouvements aujourd'hui à l'inefficacité et aux pires manipulations. Comment discuter le pouvoir que s'arroge indûment tel ou tel porte-parole, quand il n'existe aucune instance de contrôle dûment mandatée pour cela ?

C'est vrai qu'un mouvement peut être vivant et agissant avec des formes d'existence beaucoup plus souples que celles que nous connaissons dans les partis politiques ou les organisations syndicales. J'ai toujours trouvé très juste cette formule pourtant bien ancienne qu'Hélène Brion adressait pendant la guerre de 1914-1918 à ses camarades de la C.G.T. et du Parti Socialiste.

Elle remarquait que ces grandes organisations, dont les adhérents se comptaient par milliers, et qui étaient fières de leurs structures, avaient été incapables de résister à la tourmente de la guerre et de jouer le rôle que leur congrès leur avait imparti ; et elle y opposait l'apparente incohérence des petits groupes de femmes, qui s'étaient pourtant montrés d'une certaine efficacité dans les campagnes pour la paix en 1916 et 1917. « Dans le clan des femmes, c'est le contraire qui se produit. Nous avons une organisation en apparence bien plus défectueuse, bien moins centralisée ; nos trente-six petits groupes semblent autant de forces éparses, presque opposées. Beaucoup même d'entre nous ne sont reliées à aucun groupe et mènent à leur guise, sans lien avec les autres, une œuvre éducatrice et propagandiste. Mais sans ce désordre apparent, il y a la profonde unité de pensée, née de la communauté de souffrances. Il y a une vie intense, une foi profonde dans ces petits cercles. On y remue des idées au lieu d'y triturer des mots »[3].

Aujourd'hui, le *Mouvement des Femmes* vit à partir de lieux informels de discussion et d'action, où l'on refuse de s'encombrer des bureaucraties engendrées par l'organisation d'un parti. Trop souvent, cela conduit à la manipulation par quelques leaders bien placés. Si tant de femmes qui ont la plume, une revue, les relations que donnent la vie à Paris, peuvent parler au nom d'un *Mouvement des Femmes* très divers, c'est que les groupes de province, les femmes peu connues dans un certain nombre d'organisations, elles, ne possèdent que peu d'accès aux médias. Et, pour qui n'a pas, par sa naissan-

---

3. Hélène Brion. *La voie féministe*. Edit. Syros.

ce dans un milieu privilégié ou par sa plume — et encore ceci va-t-il souvent de pair — l'écoute de la presse, l'existence ne passe que par l'affirmation collective. Je ne crois donc pas qu'il faille rejeter toute forme d'organisation collective : l'important serait d'en renouveler les formes.

Sans doute serait-il un peu vain d'imaginer que l'on pourrait, dans une société foncièrement inégalitaire, trouver des formes d'organisation collectives qui réussiraient à éliminer toutes les inégalités créées par la répartition des richesses et la division du travail. Encore faudrait-il pour cela que soient levé un obstacle essentiel : celui du temps. Là, plus que d'autres, nous les femmes avons à dire et à redire.

des f ne peuvent militer comme les o⁊
principalement à cause du facteur "temps"
et de l'intériorisation de leur
rôle

CHAPITRE V

La vie à bâtons rompus

> *Une mère de famille n'a pas d'heure
> pour s'enfermer et empêcher qu'on
> arrive à elle [...] Il faut qu'une femme
> placée dans de telles conditions s'habi-
> tue à travailler à bâtons rompus.*

MONSEIGNEUR DUPANLOUP.

Monseigneur Dupanloup était un homme conséquent dans ses contradictions. Il avait milité pour que l'éducation des filles restât la chose de l'Eglise. Et la règle voulait que les filles de l'aristocratie et de la bourgeoisie, élevées dans les couvents, n'y trouvent que le vernis de culture indispensable pour leur permettre de jouer leur rôle dans le monde, et surtout, mission suprême, pour surveiller l'éducation de leurs enfants. Il ne fallait point de passion de connaissance pour les filles, non plus que de passions artistiques ou politiques : les futures femmes d'intérieur devraient être élevées à l'abri de toute curiosité, et tout entraînement à s'intéresser à autre chose qu'à l'univers du mari, de la petite société et du foyer qui serait leur monde futur.

A ces filles que l'on décourageait de toute étude un peu approfondie, de tout désir trop vivement exprimé de s'attacher à un passe-temps ou à une science quelconque, il fallait pourtant enseigner le sérieux. Les éducateurs religieux de ces futures dames du monde voulaient qu'elles soient les meilleurs soutiens de la morale et de la politique de l'Eglise ; ainsi désiraient-ils établir dans chaque famille un petit ministre de la pensée et de la foi catholiques. Mais comment ne pas fabriquer des femmes futiles quand la plus grande part de leur temps d'éducation aurait été consacrée aux arts d'agrément et aux travaux d'aiguille, quand on ne leur aurait ouvert l'esprit que pour les confiner dans les fabulettes moralisatrices et les jolis poèmes ?

Notre ecclésiastique s'épouvantait des conséquences d'une éducation qui ne pouvait pourtant pas fabriquer des raisonneuses : elles auraient alors perdu de vue leur rôle essentiel, et qui sait, regardé du côté de ces débauchées de féministes, ou refusé de se livrer aux nobles tâches de la mère de famille. Il ne fallait donc pas en faire des « savantes » : la possession du savoir est vanité pour une femme, elle la fait rêver à des positions sociales qui ne sont pas sa fonction. Mais, si l'on ne voulait pas en faire des coquettes, des mondaines futiles, oublieuses de leur devoir de fidélité et de leur rôle d'éducatrice, il fallait cependant les garder « studieuses ».

Contradiction dans les finalités ? dans un ouvrage assez étonnant chez cet ennemi forcené de l'éducation secondaire des filles que voulait instaurer le Second Empire finissant, Monseigneur Dupanloup décrit l'idéal de la femme épouse, mère, et... « studieuse ». Celle qui gardera le contact avec une culture sérieuse et aseptisée, l'interlocutrice de son mari, l'éducatrice de ses enfants. Lui-même reprend alors une objection qu'il a dû entendre de la bouche de certaines de ses ouailles : comment un emploi du temps monopolisé par les soins du ménage et l'éducation des enfants peut-il encore laisser à une femme du temps pour soi ? A quoi le sérieux évêque répond, avec la fermeté souriante des bons conseilleurs : Il faut savoir prendre un peu de temps, sans jamais rien sacrifier des autres tâches. C'est ainsi que la femme restera *studieuse, à bâtons rompus*. En morcelant un peu plus le temps qu'elle a pour vivre. En se contraignant à des moments de lecture sérieuse. En se levant un peu plus tôt ou en se couchant un peu plus tard. Mais surtout, sans jamais rien sacrifier du dévouement qu'elle doit à sa famille, et des devoirs qu'elle a à l'égard de ses proches !

Je me suis beaucoup amusée à découvrir ce texte-là, au moment où je m'interrogeais sur l'impossible conciliation entre les tâches familiales et les responsabilités politiques. Et parce que cela correspondait si bien, style mis à part, à ce que j'avais souvent entendu dire d'une « femme complète ». Un homme qui réussit quelque part, dans la politique, la recherche, la littérature ou les arts, est un homme qui sacrifie tout le reste à ce qui fait sa vie et sa passion. Il y a souvent dans sa vie, une femme ou des femmes, quelquefois aussi une famille. Mais la famille, avant tout, ne doit pas déranger le grand homme.

Et la femme, ou les femmes, n'ont de place qu'à l'ombre de l'œuvre ou sur les pages de dédicace de la thèse : à Nénette, sans qui ce livre n'aurait jamais vu le jour. A Nénette et aux chaussettes lavées, aux petits plats réchauffés au retour des réunions interminables, aux enfants surveillés, couchés et calmés à temps, et à tout le reste qui ne se dit pas. « Faut bien rester révérencieux » comme dit Boris Vian. Je n'ai trouvé qu'une fois une très drôle de dédicace parodique, dans le livre de Malka Weksler et Evelyne Guedj, *quand les femmes se disent*[1]. Elles y remerciaient les nombreuses copines et copains pour les vaisselles, les repas, la frappe et tout le reste qui leur avait permis d'accoucher de ce livre sur les femmes américaines. Mais quand j'ai fait moi-même la critique de l'ouvrage pour le journal du parti, en mettant en valeur ce petit texte-symptôme, ce passage de mon article a été censuré, parce que je tombais vraiment trop dans la futilité, dans l'inessentiel... L'inessentiel des uns et l'essentiel des unes...

Tout cela est dit, connu, archi-connu... sans doute ; mais je crois qu'il faut dire et répéter que le sérieux d'un projet de changement politique doit se juger à la capacité à intégrer ces remises en cause-là. Et que cela n'est pas si facile. Il y a les réalités objectives. Et tout aussi forts, tout aussi contraignants, les modèles intégrés par les unes et les autres, reproduits génération après

---

1. *Quand les femmes se disent*, d'Evelyne Guedj et Malka Weksler, Collection Combats, Editions du Seuil.

génération dans des systèmes éducatifs figés. Et aussi, dans nos têtes à nous, les femmes, cette énorme culpabilité à l'égard de ces rôles que l'on tient à nous faire jouer, de ces « autres » auxquels nous nous devons.

J'espère bien faire partie de l'une des dernières générations marquées par ce sentiment-là, mais je n'en suis pas si sûre. Pour moi, le mouvement de libération des femmes ne suit pas un cours linéaire. Les progrès ne sont pas irréversibles. Or il y a là un cercle dangereux : pour que les femmes imposent un changement, il faut qu'elles soient nombreuses à prendre part aux mouvements sociaux, à la vie politique. Mais pour y prendre part, il faut qu'elles se sentent déchargées objectivement de certaines tâches, et subjectivement de la culpabilité à passer leur vie à autre chose qu'à ces tâches-là. Il faut donc accomplir un double travail : en imposant des transformations irréversibles dans la prise en charge de ce qu'on nomme la vie quotidienne. Et en nous rendant suffisamment libres et détachées de ce qui fut longtemps notre territoire mais aussi notre esclavage.

Or je crois qu'on ne peut négliger tout ce qui s'attache au plaisir du territoire, attribué ou conquis, mais en tout cas reconnu, si l'on veut comprendre ce qui se passe pour la plupart des femmes dans leur rapport compliqué avec le militantisme. Il y a, cela est certain, la réalité très objective des tâches domestiques et d'éducation, le temps qu'elles exigent, et plus encore le souci permanent qu'elles représentent. Une réflexion sur les difficultés des femmes à l'exercice d'une activité artistique s'intitulait, dans les *Temps Modernes*, « Mais qu'est-ce qu'on va manger ce soir ? » Pourtant, les choses ne sont pas si simples. Puisqu'il faut s'accommoder des rôles que les autres ont pensés pour vous, les femmes vont souvent avoir tendance à s'y installer. Et tenter de faire, d'un lieu d'esclavage et de travaux répétitifs, un domaine réservé où s'exerce enfin ce qui leur reste de pouvoir. Dans une maison, les tâches ne sont pas exactement codifiées, encore que chacune de nous ait appris de sa mère, et de toute la tradition, la longue théorie des gestes journaliers. Mais le produit n'est jamais terminé, il est indéfiniment perfectible, et la seule loi de sa production étant inscrite dans nos têtes à nous, et dans le regard approbateur ou critique de l'entourage, on n'est jamais sûre d'avoir bien fait et d'en avoir fini. Entre la nourriture à prévoir et la cuisine à faire, entre l'indispensable hygiène et la décoration de la maison, il y a un abîme.

Qui va permettre ou de rétrécir à l'extrême le temps consacré à l'indispensable, ou de rallonger à l'infini les heures ménagères ? A partir de là, nous avons souvent entendu le discours moralisateur du *taylorisme domestique*, ou les appréciations méprisantes de celles et surtout de ceux qui refusent de se laisser engluer dans le domestique : si les femmes savaient s'organiser, si elles n'exagéraient pas l'importance des détails... L'ennui, c'est que lorsqu'on ne se sent valorisée que par ces tâches-là, lorsqu'on a bien intégré depuis l'enfance que le devoir, la valeur d'une femme consistait avant tout à être capable de les bien remplir, on ne peut les mépriser et les réduire sans se nier soi-même d'une certaine façon. Et l'on se crée des tâches pour enrichir le temps passé dans la maison. Et les enfants exigent la répétition d'un certain nombre de rites qui font pour eux partie de cette maison même ; et cette maison, et ces enfants finissent par vous aspirer la vie comme ces armoires dont parle Natalia Baranskaïa. « On achète une armoire et elle ouvre la bouche toute grande, il lui faut des robes, des complets, des manteaux, comme-ci et comme-ça, des tricots, des tissus... Il y a des armoires qui bouffent toute la vie et qui ne sont pas encore rassasiées (...) Et l'armoire finit par avaler l'homme. Il y reste comme en prison. Il vit plus, il purge sa peine. »[2]

Quelquefois même, le partage des tâches ne suffit pas à sauver de l'engloutissement, mais il y fait plonger deux personnes au lieu d'une. Société de consommation aidant, la sphère domestique est capable d'étouffer hommes et femmes. Betty Friedan a très bien analysé, aux Etats-Unis, il y a près de vingt ans, ce surinvestissement

---

2. *Une semaine comme une autre. Pantéléïnon, o pantéléïnon.* Edit. des femmes, 1976.

domestique qui permettait à la société américaine de renvoyer au foyer des générations de femmes que leurs études supérieures auraient dû préparer au refus de l'enfermement. Nous en sommes aujourd'hui chez nous à l'étape qu'elle analysait alors. Avec la valorisation de la nourriture préparée chez soi, le retour aux confitures et aux conserves faites à la maison, quand il ne s'agit pas du pain, le réapprentissage de la couture et du tricot et le goût pour le bricolage. *Enrichissement des tâches domestiques*, comme il y a l'enrichissement des tâches industrielles inventé par les psycho-sociologues du travail pour faire oublier l'aliénation fondamentale du travail morcelé et aliénant. Ainsi les tâches ménagères arrivent à la fois à vider l'esprit, et à l'occuper si fort que l'on n'est plus disponible pour rien d'autre. A moins qu'ailleurs un vif intérêt ne vous permette de les réduire au strict minimum, elles vont devenir le centre de la vie, le rappel lancinant et journalier de l'essentiel.

J'ai réussi à m'en sortir ; parce que mon métier me laissait du temps libre, des congés en même temps que les enfants, un salaire correct qui permettait de les faire garder quand le cumul des activités professionnelles et militantes devenait trop important. Mais je n'ai jamais pu admettre le mépris à l'égard de celles qui ne s'en sortent pas. Parce que j'ai toujours senti comme la plus difficile, cette autre conquête d'un autre territoire autonome pour vivre sa vie à soi, faire ce qu'on a envie de faire, en empiétant inévitablement sur ce qui est normalement estimé dû au cercle familial. Aujourd'hui encore, je me sens incapable de me défaire d'une certaine culpabilité à l'égard des choix accomplis. Culpabilité renforcée, je sais, par quelques éléments bien objectifs. Les enfants se débrouillent-ils très bien ? Sont-ils apparemment heureux et bien intégrés dans leur milieu de copains ? Se félicitent-ils même de n'avoir pas ces parents contraignants, toujours derrière leur dos, à contrôler la dernière leçon apprise ou l'heure exacte de retour ? Il y aura toujours quand même quelque enseignant, quelque voisin apitoyé, pour leur faire remarquer qu'on les délaisse, et que les parents, la mère surtout, sont bien peu à la maison.

Et puis, l'organisation de la vie en « familles » est telle qu'il se produit un système de vases communiquants : si l'un des deux décide de se libérer pour certaines tâches, c'est l'autre qui écope. Le fait de retourner la situation en s'arrangeant pour que ce soit la femme qui soit libre ne change pas grand chose, et, pour ma part, je n'ai jamais rêvé d'inverser purement et simplement l'esclavage. Quand, objectivement, le mari fait plus de choses à la maison, lorsqu'il se doit d'y être présent davantage, pour permettre aux enfants d'y trouver quelqu'un, une grande culpabilité étreint la plupart de ces femmes que je connais et qui vivent cette situation. Cette culpabilité, je l'ai longtemps connue. Quand un homme, par son métier ou sa fonction, se trouve très souvent absent, chacun de ses retours est une occasion de le fêter, de le choyer et de l'accueillir davantage. Il peut se sentir coupable d'être si peu là, il se sentira rarement coupable d'avoir laissé, pendant tout ce temps, la vie matérielle s'accomplir aux dépens de sa compagne. Je crois qu'il n'en va jamais exactement de même pour les femmes. Non seulement elles se sentent coupables de désertion de poste, mais elles pensent devoir maintenir la continuité de la vie matérielle, même quand elles ne sont pas là.

J'ai souvent discuté avec des femmes qui partaient pour des stages un peu longs, ou qui reprenaient des études après avoir eu des enfants, et s'absentaient quelques jours par semaine. C'était presque toujours le même rituel : le frigo que l'on remplit, les plats qu'il n'y aura plus qu'à réchauffer, les menus préparés à l'avance, et suffisamment de linge lavé et repassé pour attendre le prochain passage. Peu de femmes rentrent chez elles, même quand elles ont un travail plus accaparant que le mari, même quand elles ont des responsabilités importantes, avec le tranquille soulagement de celui qui vient s'installer « les pieds sous la table ». Les remarques les plus amicales et les plus compréhensives souvent sont celles qui remettent le sujet sur le tapis : « comment fais-tu ? », « et tes enfants, qu'est-ce qu'ils en disent ? »

Je ne crois pas que la situation soit semblable pour toutes les femmes, même quand elles *ont*, comme on dit, mari et enfants. Je me suis mariée à vingt ans, mon fils aîné est né quand j'en avais vingt-et-un. A cette époque-là, le contrôle des naissances n'existait pas. On ne pouvait décider, par exemple, comme je le vois faire aujourd'hui par la plupart des couples, que l'on allait se programmer un ou deux bébés, dont la place dans le temps serait fixée, et qui s'intègreraient dans le reste des choix de travail et d'existence. A moins de recourir à l'avortement, toujours cher, clandestin, dangereux, on ne savait pas bien à quel nombre d'enfants on pourrait s'arrêter, et quand ils allaient arriver. J'ai senti les premières années de ma vie de femme comme une sorte de bataille assez désespérée pour me gagner à tout prix le droit à vivre autrement que n'avait pu le faire ma mère. Je voulais, malgré les enfants arrivés trop tôt, réussir des examens, me donner le droit de travailler, me garder la possibilité d'activités diverses : politiques, syndicales, de loisirs avec mes élèves. Il y avait donc perpétuel empiètement d'une vie sur l'autre, et ce que je gagnais pour l'une, je devais en priver l'autre. Avec la réprobation plus ou moins voilée des familles, de l'entourage : pourquoi organiser des voyages d'été avec mes élèves de terminale, en laissant seul le mari, en envoyant les enfants en vacances collectives ? Pourquoi laisser les enfants seuls le soir ?... Cette réprobation-là ne m'est plus guère aujourd'hui, directement adressée ; on sait que mes convictions sont faites. Mais elle est souvent retournée, avec apitoiement, sur mes enfants et mon mari.

Mais au-delà de ce qu'a de particulier mon expérience, je crois que la plupart des femmes vivent, ou ont vécu, des « partages » semblables. Même, me semble-t-il, certaines célibataires. J'ai souvent aperçu, d'un œil amusé, la différence d'attitudes des hommes et des femmes célibataires à l'égard des tâches ménagères. Dans les groupes politiques comme le nôtre, les célibataires n'ont pas forcément la vie facile. Puisqu'ils n'ont pas de « charge de famille », et qu'on leur prête donc infiniment plus de temps libre qu'aux autres, ils se doivent d'être disponibles pour un certain nombre de tâches dont les autres, hommes et femmes, peuvent de temps en temps se protéger, en invoquant les contraintes familiales. Pourtant, j'ai vu vivre très différemment hommes et femmes célibataires, quand ils avaient par ailleurs des activités politiques. L'homme devait se sentir débarrassé de toutes les tâches ennuyeuses ; et il se débrouillait généralement pour trouver, dans sa famille ou son entourage, les moyens de s'en débarrasser ; les femmes au contraire avaient leur petit ménage, presque aussi contraignant quelquefois que celui des femmes chargées de famille qui, elles au moins, pouvaient se reposer sur le partenaire du partage d'un certain nombre de corvées. C'est dans une organisation populaire qui aurait dû pourtant avoir d'autres pratiques, qu'une de nos camarades célibataires, appelée à une fonction de permanente, apprit un jour avec stupeur que les hommes célibataires, et permanents comme elle de l'organisation, se voyaient attribuer une prime de repas, puisqu'ils déjeunaient la plupart du temps au restaurant, alors que l'on estimait qu'elle, elle devait bien faire sa cuisine ! Caricature sans doute, mais qui ne date que de cinq ans, et qui en dit long sur les multiples petits faits qui dessinent encore aux femmes des rôles bien distincts, y compris dans la vie des organisations politiques.

En face de tout cela, nous réagissons souvent de manière provocatrice. On veut nous enfermer dans un domaine ? Soit. Mais nous n'y serons pas enfermées seules ! Alors commence la petite guerre intestine dans les couples de militants sur les libertés que l'un se donne aux dépens de l'autre. Réactions provocatrices aussi dans les attitudes mêmes durant les fameux rites que sont trop souvent les réunions politiques.

Je pourrais écrire tout un chapitre sur l'usage du tricot, et de ses fins diverses, par les militantes politiques. Tous sont là à discuter, et à passer des heures à débattre d'une orientation, à préparer par le menu une action qui pourrait être discutée à deux ou trois. Nous sommes plusieurs femmes à avoir sorti nos tricots. « Cela m'empêche de fumer » ai-je souvent dit. Car fumer, grignoter ou dessiner sont les accompagnements dérivés de ces activités assises et discoureuses. Mais il y a autre chose. Par mon tricot, je vous signifie en même temps, que moi, je sais me rendre utile : bon pull bien sage pour un gosse ; ou que moi, au moins, j'ai une activité créative : pondez donc des motions et je vous invente un jacquard ! Ou bien encore, je continue le reste de ma vie de femme, et je reste à distance de vos préoccupations et de vos terrains de chasse favoris. Retranchée derrière mes aiguilles, critique au rythme des points à l'endroit et des points à l'envers, j'ironise au milieu de mes pelotes de laine ; et mon aiguille qui tombe à terre fait un plouf dans la mare de vos discours. Le tricot est rarement une occupation nécessaire, car il est très rarement réellement rentable. Mais il manifeste ainsi notre double appartenance : notre vie à nous, proclamons-nous, rageuses ou contentes, ne se limite pas à vos agoras enfumées.

J'ai, pendant des années, apporté ainsi un tricot à la plupart des réunions auxquelles j'assistais. Dans les réunions professionnelles, en faculté, certains collègues retiraient du spectacle un prodigieux sentiment d'agacement, et nous avions bien vite fait de nos tricots un signe de ralliement d'un certain nombre de femmes rebelles à leur ordre à eux. Au P.S.U., c'était accepté avec beaucoup plus de bonhommie. Mais je me souviens pourtant de cette réunion nationale où je m'étais fourvoyée dans une commission économique. Là régnaient par le verbe nos meilleurs spécialistes : enarques, polytechniciens et permanents syndicaux rompus aux discours sur la conjoncture. Commença alors une sorte de combats de coqs, qui ne devait être qu'un épisode d'un débat commencé depuis longtemps entre eux, par articles, ouvrages et longues réunions communes interposés, où chacun échangeait des arguments, dans le style le plus allusif possible, pour ne pas avoir l'air de se satisfaire d'évidences. Quelques naïfs étaient là avec moi, essayant de suivre, et j'étais la seule femme. N'y tenant plus, je leur dis toute ma joie d'être dans un parti qui regroupait tant de gens intelligents, et je sortis mon tricot : ce tricot-là fit encore plus mauvais effet.

Pourtant, comme j'aurais voulu me défendre du morcellement que manifestaient ces *travaux de femmes* ! Parce que, quand j'essaie de résumer en un mot l'impression dominante de toute cette vie partagée, c'est le terme « morcellement » qui me paraît le plus approprié. Morcellement et course contre le temps. Temps du travail professionnel, dont on essaiera toujours de s'échapper sans le prolonger par des contacts pourtant agréables, parce qu'il y a, au bout, le bébé à récupérer à la crèche, la porte de la maison à ouvrir pour ceux qui rentrent de l'école, les courses à faire ou le repas à préparer. Temps des activités militantes, jamais assez strictement défini, et qui menace toujours d'empiéter sur le reste : mes rages, quand une réunion du samedi après-midi devait se terminer à une heure précise, que cette heure coïncidait avec la reprise des enfants, et que les discussions trainaient en longueur. Et les commentaires ironiques des bons camarades qui vous trouvaient mesquine ou énervée ? Eux avaient tout leur temps. Qui sait, rentrer une heure plus tôt les aurait peut-être obligés à participer à des tâches dont ils n'avaient cure. Et au bout de ces journées, de ces semaines et de ces mois, l'impression que l'on se perd, que l'on se vide de toute sa substance, que l'on n'est plus capable, quand une plage de temps libre se dessine, que de l'occuper par des loisirs sans intérêt, des lectures « délassantes ». L'envie alors de pouvoir se « récupérer », de gagner à tout prix le territoire personnel sans lequel on va finir par ne plus exister du tout.

Pour moi, j'ai souvent eu besoin, pour arriver à me retrouver et à réaliser quelques petites choses, ma thèse, un ou deux bouquins, un concours à préparer, de « couper » carrément, pour des laps de temps plus ou moins courts, avec l'espace même de la maison, et de ce qu'il représentait de fils ténus et tenaces. Impression de bonheur étonnante que ces quinze jours passés dans un couvent construit par Le Corbusier, dans la région lyonnaise, avec ce silence à peu près total, des gens qui ne me connaissaient pas et se montraient très discrets, et tant de livres sous la main, et tant d'heures non programmées ? Ou bien la joie de retrouver chaque semaine le vieil appartement lyonnais — qui m'héberge les jours où je fais cours — sombre, mal chauffé, mais complètement à moi. Sans rythme fixé par d'autres, avec les séances de cinéma gagnées sur un temps de repas, la lecture qu'on peut prolonger toute la nuit sans gêner personne, les affiches de femmes partout et, trônant sur une étagère, presque tout seul (les autres livres sont presque tous « à la maison ») : *Une chambre à soi*, de Virginia Woolf.

Et puis il y a cet autre morcellement : celui du cours d'une vie qu'on ne maîtrise pas, en raison des maternités. J'ai été enceinte quatre fois, quatre fois huit à neuf mois qui échappent à peu près complètement au cours ordinaire de l'existence. Bien sûr, la vie continue pendant ce temps. Je me souviens même de m'être sérieusement mise à mes études alors que j'avais passé beaucoup plus de temps à la vie militante, au moment où j'ai compris que j'allais avoir mon premier bébé. Tellement je me suis sentie menacée alors de ne plus pouvoir jamais me retrouver.

Mais les neuf mois d'une grossesse sont un temps étrange. Toute l'existence paraît se réorganiser autour de ce ventre où se prépare la vie d'un autre. Mon corps qui change jour après jour, jusqu'à me devenir presque étranger... et cette sorte de torpeur, d'envie de dormir permanente... comme si, de toute façon, la conduite de votre vie vous échappait. Et, à partir du moment où *il* commence à bouger, toute l'attention retournée sans cesse vers les signaux qu'il donne. On se met à vivre par le dedans, même si tout le reste continue ; on se prend à sourire tout à coup, au milieu d'une conversation sérieuse, parce qu'on a cru sentir un coup de pied ou un coup de coude complice. Ou bien, et ce fut pour moi l'expérience de ma dernière grossesse, après la mort du troisième bébé à la naissance, on est traversée, au moindre mouvement un peu douloureux, au moindre tiraillement, par la peur de la douleur à venir et par la mort possible. Perdue dans tout cela, enveloppée dans ces tuniques ou dans ces robes amples et douces qu'on fabrique pour les femmes enceintes, je continuais d'aller aux réunions, de suivre des congrès, d'exposer à mes terminales de cinquante-cinq élèves (c'étaient les bonnes années au championnat des classes surchargées !) les preuves de l'existence de Dieu selon Descartes. Mais j'avais la tête ailleurs, ou plus beaucoup de tête !

Et puis, il y avait les semaines qui suivaient la naissance... l'impression que la vie n'arriverait jamais à se réajuster avec ces horaires hâchés entre les tétées, les couches, les sorties et tout le reste. L'impression qu'il allait encore falloir passer à un stade supérieur d'équilibrisme pour tout concilier, et l'envie encore plus impérieuse de ne rien sacrifier, de peur de se retrouver ensuite incapable de sortir de la sphère familiale. J'avais vu et entendu mes sœurs, des amies, me raconter combien il leur devenait impossible, prises qu'elles étaient entre ces maternités multiples et des emplois du temps qu'elles ne dominaient plus, de s'intéresser encore à des choses qui les avaient passionnées. Crispée, je refusais ce destin-là. Je crois que j'apparaissais aux autres très calme, très maîtresse de moi ; à l'époque, dire ses difficultés à être femme ne se faisait guère ; et il fallait plutôt montrer, quelle que soit la panique que l'on ait pu ressentir, que l'on s'en sortait bien. C'était l'époque où beaucoup d'entre nous s'efforçaient de tout concilier, soucieuses que nous étions de rassurer notre entourage sur nos capacités maternelles, nos réussites ménagères, autant que sur nos aptitudes intellectuelles et politiques. Il fallait montrer surtout que les dernières ne nuisaient pas aux premières, et qu'on pouvait nous aimer quand même... J'envie aujourd'hui la décontraction de pas mal de jeunes femmes ; elles ont pu intégrer dans leur vie l'interruption passagère que représentent un ou deux enfants, sans que l'on doute d'elles, sans que soit remis en cause le fait qu'elles continuent d'exister. Au moins je veux le croire. Pour nous ce n'était pas possible.

C'est vrai que tout cela ne donne pas une sérénité bien grande. C'est vrai qu'une existence de ce genre laisse peu de place aux loisirs, au dilettantisme, à cette disponibilité heureuse tellement agréable dans les rapports humains. Simone de Beauvoir écrivait dans *le Deuxième Sexe* — et bien sûr, Simone de Beauvoir faisait partie de mes références favorites — que les femmes avaient rarement du génie parce qu'elles ne prenaient pas le temps d'aller s'asseoir et discuter à une table de bistrot. Le plus grand luxe qui soit : du temps à perdre. Alors que je m'aperçois de plus en plus, en comparant ma manière de vivre à celle des hommes qui m'entourent, que je ne sais pas perdre mon temps. Cela m'a valu la réputation d'une bûcheuse infatigable. Mais que de bonnes occasions manquées et, j'en suis de plus en plus sûre, que d'efficacité perdue ainsi à chercher à tout prix l'efficacité maximale. J'ai toujours été fascinée par quelques amies indolentes, souvent en retard alors que je suis d'une ponctualité exemplaire ; elles réalisent peu, peut-être, mais elles ont une façon d'exister, un bonheur à retenir le temps que j'envie. Comme j'apprécie cette retenue à intervenir qui fait qu'on ne se sent indispensable nulle part, alors que je pense toujours trop que l'on a besoin de moi un peu partout. Bon. Il y a sans doute là beaucoup de traits caractériels. Mais je crois quand même que la vie que nous menons, la plupart des femmes, nous amène à nous comporter toujours en fourmis pressées.

J'ai été très frappée par l'expérience que m'a rapportée cette année un de mes étudiants en sciences de l'éducation. Il est professeur d'éducation physique, et il a tenté d'organiser, avec une collègue de la même discipline, des cours d'éducation corporelle mixtes pour ses élèves de cinquième. Il a proposé aux filles et aux garçons, sans leur suggérer du tout de se séparer pour l'exercice, de mimer sur une scène des gestes de la vie quotidienne. Les garçons, dans leur ensemble, ont occupé le devant de la scène, et ils l'occupaient bien : couvrant l'espace, se déployant en grands gestes, s'installant au volant d'une voiture imaginaire et couvrant à toute vitesse l'espace, se détendant dans des relaxes, etc. Les filles, elles, s'étaient groupées dans l'arrière de la scène ; et elles exécutaient, avec des gestes rapides, saccadés, précis, d'imaginaires tâches ménagères. Ces filles-là ont l'âge de ma fille la plus jeune ; elle, elle a gagné de haute lutte, dans le village où nous vivons et dans sa classe au collège, le poste de gardien de but dans les matches de football ; elle s'insurge quand son prof de maths prétends donner deux énoncés de problèmes pour illustrer le calcul des surfaces ; un pour les filles, à partir d'un patron de coupe de jupe, un pour les garçons, à partir des mensurations d'un stade ; mais je tremble à penser que tant de fillettes de son âge — tant de garçons aussi — continuent à être enfermées dans les modèles contre lesquels nous avons lutté et qui nous ont fait tant de mal. Je pense à ce que pourraient être des existences de femmes qui éviteraient de se cogner aux murs des situations toutes faites, des carcans d'idées reçues, et qui pourraient enfin se permettre de vivre avec sérénité, et quelques maternités, le reste de leur vie à elles, sans hargne à défendre un territoire menacé, sans angoisse de se perdre.

Mais j'ai bien peur qu'il nous faille encore beaucoup de luttes pour en arriver là. Parce qu'aujourd'hui, les idéologies ont trouvé des relais d'apparence scientifique pour empêcher les femmes de se reconnaître le droit à exister pour elles-mêmes. Des démographes, qui calculent que les femmes jeunes ont moins d'enfants qu'autrefois, et que si cela continue... des médecins qui nous suggèrent que si nous attendons trop tard pour les avoir, ces fameux enfants-là, ils pourraient bien n'être pas très normaux ; des psychologues qui, pour parler de l'environnement affectif nécessaire à l'enfant, n'ont que le mot de *mère* à la bouche, en vous expliquant ensuite, quand vous ferez partie des initiés que la mère est un mot qui peut désigner beaucoup d'autres personnes ; l'ennui, c'est qu'ils ont oublié de le préciser à celles qui ne fréquentent pas leur cours, et qu'on enfonce un peu plus tous les jours dans la culpabilité.

Un jour où l'on m'avait demandé de présenter mon bouquin sur les femmes à des ouvrières du textile, nous avons eu un long débat sur cette nécessité d'une présence maternelle. Une des ouvrières me disait alors avec beaucoup d'émotion que sa petite fille était dyslexique parce qu'elle avait été obligée de la mettre à la crèche, puis à l'école maternelle, pour pouvoir aller travailler. Comme j'essayais de lui montrer qu'il n'y avait pas forcément de lien de cause à effet, elle me répondit, avec la conviction de ceux qui font toute confiance au savoir des spécialistes, que ce diagnostic avait été rendu par la psychologue attachée à l'école... et donc, ce devait bien être vrai.

Et cela est beaucoup plus grave encore que l'essoufflement que nous ressentons si souvent à courir après tant de tâches accumulées ; car cette culpabilité-là fait plus mal. Et qu'elle vous enferme avec rancœur, dans le réseau des devoirs que vous n'avez pas choisis ; et qu'elle vous rend possessive à l'égard de ce mari, de ces enfants, à qui vous vous devez, mais qui devront bien vous le rendre. Parce qu'elle vous rend « chose » parmi ces choses de la maison dont vous êtes devenue l'esclave en chef. Parce qu'elle vous interdit de penser, durant de longues années, que vous êtes quelqu'un de particulier, avc ses goûts, ses défauts, ses excès, pour jouer le personnage indispensable tant attendu par tous. Quand serons-nous assez folles pour vivre ?

CHAPITRE VI

Jeux et rites de la politique

> *Affirmer la différence n'a rien à voir avec un quelconque racisme, au contraire. C'est enlever aux maîtres le droit d'édicter des lois valables pour tous et et toutes, en tous temps et en tous lieux [...] Quand les femmes demandent le droit à la différence, elles demandent de ne pas être assujetties à des modèles masculins, ou plus exactement patriarcaux, qui les paralysent et les nient dans leur condition sexuelle, sociale, culturelle.*
>
> LUCE IRIGARAY.
> Libération, 21 mai 1979.

Est-ce parce que notre vie est si « partagée », que notre temps est si « sollicité », que nous vivons si mal le rapport avec un certain nombre de rites politiques ? J'ai souvent discuté avec d'autres femmes de ce sentiment de distance que nous éprouvions les unes et les autres à l'égard de ce qui paraissait, dans leurs discours et leurs assemblées, des préoccupations primordiales. Comme si nous étions des étrangères arrivées dans un monde aux coutumes étranges. Ou bien cet univers est véritablement très particulier, très clos, très hermétique aux regards extérieurs, et les femmes ne seraient sensibles, plus que les autres, à cet hermétisme que parce que le degré d'appartenance serait moins fort chez elles ?

Quelle que soit l'explication, le phénomène me paraît assez grave, quand il s'agit justement de lieux où devraient s'élaborer une contestation des rapports dans la vie de tous, et des essais pour vivre autrement ces rapports. En bref, si ceux qui se disent le plus préoccupés de politique, qui critiquent la société actuelle, qui tentent de se battre pour la mise sur pied d'une autre société, sont des gens qui ne peuvent parler qu'entre eux, s'entendre entre eux, s'il faut pour s'asseoir à leurs tables et partager leur discours — un long apprentissage et l'acquisition d'un code — je dis qu'ils ne réussiront jamais rien. Il est plus qu'urgent d'élucider comment fonctionne la vie dans les partis politiques, comment se fabriquent les discours politiques, au nom de quelles règles s'écrivent les textes, si l'on veut que toute l'énergie passée à ces activités-là soit bien dirigée vers les seuls objectifs qui peuvent et doivent être les siens.

Il existe de plus en plus aujourd'hui cette double constatation, d'apparence contradictoire : très nombreux, très nombreuses, sont ceux et celles qui disent s'intéresser à la politique et savoir que la politique a une grande importance pour leur vie personnelle ; le naïf absolu, qui se croit à l'écart des conséquences des décisions politiques, est un animal bien rare. Mais en même temps, la plupart des gens vous disent que, personnellement, ils ne font pas de politique. Ils ne s'en sentent pas capables, il y a des spécialistes pour cela ! Ou bien la politique ordinaire leur paraît une mascarade. On peut avoir le plus grand mépris pour ces affirmations communes ; mais on ne s'étonnera pas alors de la manipulation tentée par les hommes du pouvoir. Le préalable à toute politique révolutionnaire, ou, si l'on veut être plus modeste, à tout projet de changement politique et social, me paraît être la capacité à discuter avec le plus grand nombre, à rendre le projet dont on se veut porteur accessible à ceux et celles qui ont intérêt aux changements que l'on défend, à avoir un langage clair, à tenter de donner à la vie politique un peu de transparence.

Or, le discours politique me paraît se situer à deux niveaux, sur deux tableaux complètement différents. D'un côté, il est le jeu privilégié de quelques-uns ; et parce qu'il est ainsi interdit au commun des mortels, et combien plus des mortelles, il produit, pour ce commun, un sous spectacle simplifié, vulgarisé, où l'on ne donne à voir et à entendre que ce qu'on estime accessible aux non-initiés. Alors, plutôt que de faire comprendre et de discuter avec des égaux, on assène, on persuade ou on amuse. Le peuple, qui devrait être le véritable sujet de la politique, devient une vaste galerie pour clowns gais ou tristes. Au domaine des variétés, Giscard et Marchais sont les vedettes favorites, à se partager avec les chanteurs ou les comédiens du jour le record des imitateurs. On peut ironiser sur les médias, déplorer le spectacle permanent qui tient lieu de vie politique ; je crois qu'on devrait surtout en chercher les causes ; il y a bien sûr, cette volonté fondamentale, délibérée, de garder pour quelques-uns le privilège des décisions et du pouvoir. Mais tout autant, et très liée à ce premier désir, la volonté de quelques-uns de faire de la politique leur chose, leur domaine. En bref, je veux dire que la forme que prend trop souvent le jeu politique, la ritualisation des discours, des textes, des comportements, fait partie, qu'on le veuille ou non, d'une attitude d'exclusion en politique.

Et parce que les femmes sont les premières exclues de ces jeux-là, et qu'on ne pourra changer quelque chose à la politique de ce pays qu'avec leur accord et leur volonté, je dis qu'il est important de faire mener systématiquement par des femmes l'analyse de ce qui se passe, à leurs yeux, dans la vie politique, de les laisser passer au crible ce qu'elles aperçoivent de ses rites compliqués, et peut-être de tenter, avec elles, d'en changer un peu.

J'ai parlé de jeu [1], et je voudrais justifier ce terme. Un jeu, ce n'est pas forcément futile ; cela suppose au contraire que l'on s'y pique, que l'on s'y laisse prendre. Car le jeu implique à la fois la définition d'une sphère séparée, avec ses lois, ses règles intangibles, imposées on ne sait plus par quelles traditions. Hors de la sphère en question, le reste de la vie continue, non touché par ce monde à part.

On a toujours parlé, en observant les jeux des enfants, de l'aspect sérieux et artificiel à la fois que prenaient leurs occupations. La marelle dessinée au sol délimite des espaces aussi sacrés que le bord des précipices : il

---

1. Roger-Gérard Schwartzenberg parle d'*Etat spectacle*, Ed. du Seuil. Une caractéristique : les acteurs sont des hommes.

suffit d'avoir placé le pied sur telle ligne pour tomber en enfer, même si, l'instant d'après, on se promène avec négligence, une fois le jeu terminé, sur les frontières fatidiques. J'ai souvent pensé à ces retours d'enfance, à ces bouffées de désirs de jeux, chez les hommes qui se prenaient le plus au sérieux, dans leurs activités typiquement masculines d'affaires ou de politique. Le plaisir qu'ils ont visiblement à se retrouver entre eux. Aux Etats-Unis et en Angleterre, les féministes ont contesté l'existence de leurs « clubs » très fermés où se discutaient, à l'abri à la fois des femmes et du vulgaire, les projets de la classe dirigeante. Quand les socialistes de la fin du siècle dernier voulaient tenir des réunions, ils exigeaient à l'entrée les cartes d'électeurs : cela permettait d'être sûr que les hommes n'auraient pas à affronter la présence des femmes.

Aujourd'hui, les jeux sont beaucoup plus subtils, mais leurs espaces privilégiés existent toujours. Il faut voyager en première classe, en train d'affaires, ou sur les lignes aériennes intérieures, pour découvrir avec stupéfaction, quand on est une femme, l'univers des hommes à costumes, à cravates et attachés-cases qui composent, comme on dit, la classe dirigeante. Peut-être pas les très importants personnages, qui, eux, ont encore en plus le droit à la solitude, mais tous ces hommes qui font carrière dans l'argent, le savoir ou le pouvoir. Même désir d'avoir l'air habitué aux lieux et aux choses, même souci d'être dans la conformité, avec un brin de désinvolture pour ne pas l'être trop, même allure affairée dans les premières minutes du trajet, pour sortir des circulaires à en-tête prestigieuse ou les tableaux de chiffres qui permettront à vos voisins d'apprécier que vous faites partie du groupe... même si le voyage doit se terminer dans les délices moins avouables d'un roman policier de second ordre ou d'une revue illustrée. Petits essaims gris bleus bien repassés et bien cirés, où flotte l'odeur discrète des after shaves à la mode. Des femmes, il y en a aussi quelquefois parmi eux ; elles *accompagnent* le plus souvent. Avec le souci, dans leur tenue, de faire honneur au grand homme : ligne, perles, tailleur...

Au P.S.U., nous n'avons guère de rapports avec ce

genre de ghettos. Mais nous retrouvons d'autres conformismes, dans les rites des discours, des textes, des réunions, où ressurgit l'appartenance à un groupe bien particulier, et où se joue le *jeu* politique.

Rite des réunions d'abord. Dans les sections, c'est-à-dire dans les petits groupes de base du parti, la réunion a souvent perdu beaucoup de son sacro-saint aspect rituel ; ces réunions se passent souvent au domicile d'un camarade, ou dans un local familier. Mises à part quelques exceptions, il s'agit surtout de discussions sans prétention sur la vie politique de l'heure, sur les positions à prendre dans la localité ou le quartier, sur les luttes locales entreprises, sur le partage des tâches. Mais les choses changent déjà beaucoup, la plupart du temps, quand on accède au niveau fédéral, et encore plus au niveau national. Là, plus de ce joyeux désordre, où les questions s'enchaînent, où quelqu'un peut faire diversion par le récit de quelque événement local ou chacun peut parler à la première personne, dire ses doutes, ses problèmes. L'ordre du jour est là, et il faut bien le respecter ; il a été établi et proposé par une équipe, secrétariat ou bureau, qui cherche à dégager des conclusions.

Jusque là, rien que de très normal. Pourtant, tout n'est pas aussi clair. Par exemple, les règles qui codifient les interventions dans le débat. Elles sont simples : un président de séance, démocratiquement désigné, cela ne fait aucun doute, prend les inscriptions des aspirants *orateurs*, et veille à ce qu'ils interviennent dans leur ordre d'inscription, sans que des trublions, ou des impatients, viennent accaparer le temps de parole ainsi réparti. Méthode héritée des rites de parlements ou de congrès. Quand une assistance est très nombreuse, et que de surcroît, elle est composée de gens hostiles les uns aux autres, et se servant du discours en assemblée pour régler des comptes, il est nécessaire et normal que le temps laissé à chacun pour exercer son droit d'intervention soit limité et strictement situé. Mais, dans nos assemblées politiques moins nombreuses (les réunions dont je parle ne comportent qu'entre cinquante à soixante-dix personnes) le rite de l'inscription amène à des pratiques bizarres. Au lieu de favoriser un débat, de compléter ou de contredire ce qui vient d'être dit, il permet seulement aux orateurs en puissance de *se placer*. J'ai vu, au début d'un débat politique en direction politique nationale s'inscrire dix, vingt personnes. Certaines d'entre elles avaient préparé une intervention précise qu'elles tenaient à faire de toute manière : apport précis, critique ou non, sur la ligne suivie par la direction du parti, échos d'une région. Mais beaucoup s'inscrivaient simplement parce qu'il s'agissait d'un débat important, où il eût été impensable de ne pas figurer. Car, à un certain niveau d'instances dirigeantes, on existe d'abord à travers son discours, sa capacité à présenter des arguments, à polémiquer, et, quand les choses vont plus mal, à tourner en dérision l'adversaire.

Le président de séance devient alors ce que l'un d'entre nous appelait un jour *le gardien du monologue*. Il ne s'agit pas de questionner, de donner des réponses, de compléter un point de vue, mais de laisser s'entrechoquer des discours complètement clos, des élaborations déjà faites à l'avance, qui ne peuvent émaner que de ceux (et rarement de celles) qui font de l'activité politique leur souci principal.

Dans les interventions ainsi produites, il est toujours difficile de distinguer ce qui sera un acquis pour le groupe et ce qui va contribuer au prestige de l'intervenant. Spectacle souvent étonnant : dans cette grande salle enfumée aux tables envahies par les textes ronéotypés, les journaux, les notes des uns et des autres, se discutent des prises de position qui pourront, peut-être, jouer un rôle dans la vie politique du pays, contribuer au moins un peu à l'avancée dans certaines directions, ou aggraver l'inertie régnante. Et, mêlés à cela, de multiples petits jeux de prestige, de guerre et de mort, qui signent des confirmations dans des rôles de leaders, qui démolissent des individus, ou les confortent dans l'idée qu'ils ont de leur propre valeur. Je ne suis pas assez naïve pour ne pas savoir qu'il s'agit là de règles de jeu de tout groupe ; mais une organisation qui se veut porteuse de changement dans la distribution des privilèges et du pouvoir, qui prétend inventer une nouvelle manière d'être et un partage réel des décisions par tous, qui

se veut, comme nous disons, autogestionnaire, ne devrait-elle pas perdre un peu de temps à revoir ces modes
de fonctionnement ?

Les modes de fonctionnement ? Ils excluent tous ceux,
toutes celles, qui n'ont pas fait du discours construit
leur mode d'expression privilégié. Entendons-nous bien,
un discours est d'autant plus écouté, au P.S.U. au moins,
(et, j'imagine, dans la plupart des groupes politiques)
s'il émane d'un militant dont on sait que l'activité ou
l'implantation est importante pour le parti. Le secrétaire
fédéral d'un département important, le militant d'entreprise qui a mené à bien certaines mobilisations, les
camarades dont chacun connaît l'insertion dans un secteur déterminant, le lien avec des organisations populaires ou ce qu'on nomme aujourd'hui plus vaguement le
mouvement social, sont généralement écoutés avec beaucoup d'attention. Cependant, on attendra volontiers d'eux
l'information précise sur leur région, ou sur leur activité
militante.

Mais le discours politique-roi restera le discours-
synthèse, le discours totalisateur. Je m'explique. Quand
il s'agit de déterminer une ligne politique à suivre, il est
évident que l'on a besoin de quelques capacités de synthèse, de vues un peu dominantes sur l'ensemble d'une
situation, sur le rapport des forces en présence, etc.
Mais, du coup, il se fait une sorte de partage des rôles
assez étonnant : certains parlent de quelque part : ils
rapportent l'état d'esprit de leur région, leur branche
industrielle, ou du mouvement de masse dans lequel ils
militent. Et d'autres ont, presque par vocation, la charge
de tirer des conclusions générales, de porter des jugements.

Militer dans une entreprise, un quartier, implanter le
P.S.U. dans une région donne souvent une très grande
modestie aux militants les plus mêlés aux pratiques politiques. On rencontre au contraire, dans les lieux privilégiés du discours que sont les organes de direction, d'in-
tarrissables bavards, légers de tout le poids des mots
qu'ils délivrent, mais bien plus à l'aise dans le discours
politique construit et totaliseur que beaucoup de militants chevronnés. Une petite teinture de sciences politi-

ques, la lecture quotidienne d'un certain nombre de journaux, le fait d'avoir connu les pratiques du mouvement étudiant, ou rencontré quelques politiciens fameux vous permet d'être à l'aise dans ce genre d'assemblées. Et de s'y permettre des jugements d'ensemble sur la politique du pays, du parti, des autres forces, etc. Les bavards, dans ces petits jeux-là sont le plus souvent des hommes, des intellectuels (avec tout ce que comporte de vague la délimitation de cette catégorie des parisiens). Encore qu'il y ait des femmes, des travailleurs manuels, des provinciaux touchés par le virus. Mais puisqu'il s'agit pour moi de parler surtout des femmes, je voudrais préciser quelques petites choses sur ce que j'ai nommé de manière trop vague le discours construit et totalisateur.

Je ne crois pas les femmes plus rebelles que quiconque aux vertus de la synthèse, je les crois tout aussi capables que les hommes de produire des textes et des discours portant sur des ensembles assez vastes, tirant des conclusions générales. Je ne les vois pas confinées par je ne sais quelles dispositions chromosomiques au culte du détail et du concret, comme à la broderie au petit point. Mais il faut faire un détour par l'analyse du fonctionnement du discours politique pour percevoir comment et pourquoi les femmes s'en sentent le plus souvent exclues.

Dans les assemblées que je connais bien et que je viens de décrire, le discours politique totalisateur a au moins autant pour but de dominer l'adversaire que de dominer le réel. C'est vrai que toute théorie, si scientifique soit-elle, est d'abord un effort de cohérence, de liaison entre eux d'éléments apparemment séparés. Mais ce désir de globalisation qu'elle exprime s'exerce sur les choses ; le discours politique, lui, porte sur la compréhension des rapports entre les hommes : il manifeste donc déjà en germe la possibilité de se placer au-dessus, ou assez loin, de ce qui les pousse à agir, de ce qui les détermine, de ce qui explique leurs comportements. Partant, de se donner une situation privilégiée qui peut suggérer la manipulation, la direction des forces observées. Ainsi le philosophe grec rêvait-il, en écrivant la politique, de devenir le philosophe-roi.

Mais il y a plus : le domaine de la politique est, avant tout, celui du possible et de l'incertitude. On peut analyser, comme des réalités presque physiques, parce qu'elles échappent en partie à l'action des hommes, certaines données de la démographie, de l'économie, de la sociologie. Mais au royaume de la politique, on rencontre les désirs, les volontés humaines. Nul n'est donc jamais sûr, à moins de s'en tenir aux évidences, de tenir une certitude. Les discours seront donc d'autant plus péremptoires qu'ils ne peuvent s'appuyer sur des démonstrations sans faille, et ils exprimeront forcément, face à la réalité, le choix de leur auteur. Choix qui pour convaincre, et pour vaincre, devra s'exprimer avec la rigueur et la cohérence des démonstrations indubitables. Je crois donc que l'allure totalitaire de certains discours politiques vient beaucoup du désir normal d'en finir avec les incertitudes, d'affirmer le bien-fondé des espoirs et la vanité des angoisses.

Mais il y a autre chose ; la lutte pour le pouvoir, dans une organisation politique, ne peut se permettre l'élimination physique de l'adversaire. Encore que les bonnes traditions de certains partis aient parfaitement montré comment on pouvait provoquer une élimination réelle, soit par l'exclusion nette et claire, soit par l'auto-exclusion provoquée par la dureté du combat, sans compter les pratiques systématiques de dénigrement, des calomnies. Nous savons tous que les pires pratiques staliniennes peuvent exister dans un parti, en plein régime « démocratique ». Sans aller jusque-là, et dans le P.S.U. où la tolérance, le respect des courants minoritaires sont pourtant légendaires, la lutte pour le pouvoir doit donc se donner d'autres moyens. Ce pourra être le plus ou moins fort investissement dans les tâches militantes qui permettra aux uns ou aux autres de s'assurer une réelle maîtrise sur une partie de l'organisation. Le militant dévoué, ne ménageant ni son temps ni sa fatigue, se verra toujours reconnu un certain droit à débattre des orientations politiques. Ceci vaut surtout aux niveaux locaux, dans les sections et les groupes de base du parti. Mais quand il s'agit de choisir une ligne politique pour l'ensemble de l'organisation, commence le jeu des textes.

au PCF, ou ethèse la forme sensibilité feministe.

Les responsables sont désignés aux fonctions de direction à partir d'une « orientation », qui doit obtenir la majorité des voix dans le parti, et qui s'exprime dans une résolution plus ou moins longue, plus ou moins détaillée. A cela, rien que de plus normal : on voit mal pourquoi un groupe politique ferait confiance à un exécutif qui n'aurait pas défini clairement les options sur la direction du parti. Cependant, les choses peuvent n'être pas aussi simples. Il peut y avoir rivalité pour le pouvoir entre des groupes, qui, sans avoir entre eux de divergences fondamentales, désirent simplement occuper la direction. C'est souvent la méfiance à l'égard d'un ou plusieurs responsables, parce que le style personnel qu'ils donnent à la direction ne convient pas à tous, qui est à l'origine, chez nous, de ce qu'on nomme, en termes de plus en plus vagues, des *tendances*, des *courants* ou des *sensibilités.*

Je me suis souvent interrogée sur ce besoin de fabriquer de nouveaux termes pour désigner cette organisation de groupes rivaux dans le parti. Deux termes sont très nettement rejetés : celui de fraction, qui indique une rupture déjà consommée et l'organisation d'un parti dans le parti. Celui de groupe, qui suggère l'existence de centre de discussions secrètes, de lieux d'élaboration de la ligne politique inconnus de la majorité du parti. Ces deux termes sont d'ailleurs chargés, dans le mouvement ouvrier, de tout l'opprobre qui a sanctionné, à différentes époques, les pratiques de division, et que le parti communiste, en particulier, dénonçait de manière souvent mensongère et toujours injurieuse. Il ne s'agit donc, en s'organisant en tendances, en principe, ni de « casser » le parti, ni de tenter de le « manipuler ». Pourtant, comme les pratiques de tendances glissent toujours à ces conséquences-là, on préfère donc indiquer qu'il ne s'agit pas de frontières bien fixes, on insiste, dans le choix des termes sur les différences « mouvantes » des « courants », ou les différences de perception seulement épidermiques, et qui ne devraient donc pas toucher le fond des choses, des « sensibilités ». Je me demande quand même si le choix de ces termes de plus en plus flous ne signifie pas simplement que ces groupes, leurs textes, leurs discours, ne sont là que pour justifier le plus rationnellement possible quelque chose d'autre, qui serait le désir de pouvoir de certains individus, ou leur refus de le partager avec d'autres.

Les textes que fabriquent alors les tendances pour obtenir des voix sont donc moins l'exposé de différences que la tentative de montrer que l'on saisit le mieux la réalité politique de l'heure, et que l'on réussit le mieux à exprimer la synthèse des différentes luttes menées par le parti, des aspirations de ses membres. Il n'existe plus que quelques militants assez initiés pour découvrir, au détour d'une analyse, ou entre les lignes d'une résolution, les divergences qui expliquent la présence de groupes différents.

A tel point que j'ai connu longtemps dans ma fédération une pratique qui était, je crois, courante dans bien d'autres ; à la veille d'un congrès ou d'un conseil national, les militants recevaient une montagne de papier : Les deux ou trois textes (ou plus...) proposés comme concurrents pour l'orientation du parti, des masses d'amendements, qui pouvaient devenir aussi longs que les textes eux-mêmes, et une avalanche de « contributions », censées enrichir les textes d'origine. Celles-ci n'avaient souvent pour but que de situel tel ou tel ténor en faveur de tel ou tel texte, pour susciter quelques disciples, ou, à travers un éclaircissement utile de « placer » tel ou tel militant parmi les aspirants à la future direction.

Devant ces longues pages théoriques ou polémiques, toujours arrivées un peu trop tard pour que chacun ait eu le temps de les lire avant la date du débat, les militants se disaient, la plupart du temps, incapables de choisir et peut-être même d'en comprendre l'enjeu exact. Un ou deux membres de la section ou de l'équipe fédérale se chargeaient alors de résumer les arguments, de dégager les points de clivage. Au moment des luttes les plus âpres, et quand le conflit était descendu jusqu'à nous et traversait les rangs des militants locaux, on trouvait parfois un responsable de chaque tendance pour faire cette sorte de résumé ; mais, très souvent, le débat des instances nationales était complètement étranger à la base, et un même camarade, coiffant tour à tour les différentes casquettes, montrait successivement les aspects positifs et négatifs des textes en présence, en émettant finalement un jugeît qu'il devait rendre de la manière la plus modérée possible pour n'avoir pas l'air de trop prendre parti. Comme ce camarade était généralement un *ancien* dans le parti, que la plupart d'entre nous lui faisions confiance, nous votions beaucoup plus en fonction des choix de ces quelques camarades estimés que de la compréhension des morceaux de littérature qui nous parvenaient. C'est ce qui a expliqué, à certains moments de l'histoire du parti, l'importance d'avoir dans son camp ce que l'on nommait les *colonels de province*.

Mais on voit poindre alors un singulier retournement : les textes d'orientation, de résolution sont faits pour arrêter une ligne collective qui puisse être adoptée le plus rationnellement possible par tous, indépendamment des préférences individuelles pour tel ou tel leader, ou de l'influence qu'il pourrait jouer pour infléchir une ligne de parti, trop floue, en l'interprétant à sa guise. Donc avec l'espoir d'une possibilité de contrôle effective des dirigeants par les militants de la base. En fait, la pratique réelle du choix d'orientation sur l'opposition de ces textes aboutit à conforter le pouvoir de quelques leaders de tendances. Ils tiennent ainsi en main l'appareil du parti et peuvent se permettre, à l'occasion d'une rivalité ou d'une divergence d'appréciation politique, de mettre en cause la vie même du parti par une de ces innombrables crises qu'il a toujours connues, et que la base suivait mal, quand bien même les responsables nationaux y voyaient des enjeux de vie ou de mort.

Les textes d'orientation se conforment à certains aspects rituels qui excluent, ou presque, que les simples militants soient à l'origine de l'un d'eux : analyse de la situation française, mais aussi internationale, appréciations économiques, sociales, voire sociologiques, jugements portés sur toutes les forces politiques en présence, appréciation de l'état du combat syndical et des positions des centrales, jugements sur les mouvements sociaux, etc., etc. Ainsi naît au dernier moment, le choix politique pour le parti, que toute cette analyse *objective* du début était censée préparer, et qu'elle préparait très bien, en fait, puisque tout le texte n'avait pour but que de justifier le choix toujours risqué, toujours incomplètement justifiable, de la ligne politique proposée. Tout l'habillage historico-politico-économique de ce choix donne fort à penser aux militants qui s'efforcent de lire la totalité des textes. Très rares sont ceux d'entre eux qui pourraient se donner le temps de fabriquer de pareilles synthèses, plus rares encore sont ceux qui se croient autorisés à porter des jugements aussi vastes et péremptoires ; ils finissent donc par penser qu'il y a deux races de militants politiques : ceux qui pensent pour eux, qui écrivent les textes, et auxquels finalement on se rallie, et ceux qui seront toujours les perpétuels ralliés.

Rien n'oblige, en fait, les textes à avoir une structure aussi pesante, rien n'interdit de se chercher les moyens d'un débat qui pourrait permettre la participation effective de la plupart des militants. Rien sinon le respect des héritages et des traditions pour quelques-uns, et, pour d'autres, le bénéfice qu'ils tirent d'une certaine opacité pour garder en main le pouvoir lié à la maîtrise de l'appareil. D'autres pratiques sont à inventer si l'on veut qu'un jour une organisation politique connaisse une véritable démocratie... Je ne parle même pas ici d'autogestion. Il est certain aussi que les quelques tentatives faites au P.S.U. pour changer le mode de préparation des discussions nationales se sont la plupart du temps soldées par des échecs, qui confortent l'avis de ceux qui tiennent pour inévitables les rites éprouvés. L'innovation en la matière suppose de plus longs efforts que la tentative accidentelle de préparation originale d'un seul congrès. Pour un parti qui veut réfléchir aux moyens de changer la politique et de proposer, dans le cadre d'un changement global, un socialisme autogestionnaire, ces questions-là devraient faire partie d'interrogations autres que verbales, et de tentatives de mises à l'épreuve.

Il faudrait admettre pour cela que l'on doit absolument dissocier l'aspect synthétique du discours politique, sa capacité à réaliser la mise en rapport de différents champs du réel, et son aspect définitif et clos. Il faudrait admettre que la capacité de rechercher la cohérence ne doit pas se confondre avec le goût d'écraser l'adversaire. Il faudrait reconnaître comme qualité du texte politique le fait de poser un certain nombre de questions au lieu d'asséner des certitudes, quand on sait bien qu'il n'y a pas d'absolue certitude dans ce qui reste toujours affaire de la petite marge de liberté des hommes dans leur action. Il faudrait éviter tous ces tics, toutes ces manies du discours politicien, qui tient à rappeler à chaque détour de phrase que l'*on a bien compris, qu'on l'avait toujours dit, qu'on avait vu et déclaré avant tout le monde, et qu'il est absolument évident pour tous ceux qui réfléchissent un peu*, etc.

Si ce n'est pas évident pour vous, c'est donc que... Un discours politique procède le plus souvent par le tout ou rien ; en lui tout est bien, il n'y a rien à jeter. Et sa conclusion, émise dans le doute et l'incertitude du futur, doit au contraire apparaître nécessaire. Le droit aux interrogations, aux erreurs, devrait être au contraire corollaire des contradictions nées de l'activité pratique.

Il faut avoir un projet, c'est certain. Et tenter d'en préciser les conditions de réalisation. Mais cette crispation sur la ligne qui tient si souvent lieu de projet ? Tout l'arsenal imaginaire s'accrochant aux mots chargés de passé, de sentiments et de principes ? Il existe, à des moments divers d'une organisation politique, des mots tabous et des mots phares, entre lesquels il faut naviguer avec soin si on ne veut pas choquer les sensibilités collectives. De la fermeture du texte sur lui-même, de la façon qu'on a de l'ériger en dogme, naît le langage de bois, si inaudible aux oreilles étrangères, si évocateur de tous les débats historiques aux oreilles initiées.

A quelques années d'intervalles, on se demande souvent ce qui a pu susciter tant de passion autour des *formules magiques*. Je vois avec étonnement, en fouillant dans les textes de congrès du parti, que la « dictature du prolétariat », le « dépérissement de l'Etat » ont fait couler des masses d'encre, passionné des nuits de congrès. Pourtant, militante de base du parti à l'époque, je ne me souviens pas que ces débats enfiévrés aient changé grand chose aux pratiques que nous continuions d'avoir sur le terrain.

Alors pourquoi tout ce bruit autour de discours, sinon parce qu'autre chose se joue que de la pure spéculation dans tout cela ? Si nous, les écrivailleurs de textes, motions, résolutions, pensums, pétitions, amendements, contributions, n'étions que de gentils Cosinus de la rêverie politique, il n'y aurait pas tant de déchaînement autour de nos pauvres petits discours secs, de nos mauvais morceaux de littérature.

En politique, un texte est une arme ; il fait partie du jeu incessant de la prise du pouvoir. Je dois prouver par lui que je suis plus fort que les autres, et, pour ce faire, je dois montrer que ma synthèse est plus explicative. Mais, comme tout se joue en famille, je dois aussi m'exprimer dans un certain code. D'ordinaire, quand on veut parler clairement, il faut chercher à s'exprimer dans le langage le plus commun possible, ne plus faire semblant d'être dans la confidence et dans la connivence, et s'obliger à donner l'explication tout entière, en essayant même au passage, de relever toutes les objections possibles, toutes celles que j'entends, tous les jours, au détour de la rue.

A l'inverse, il existe toute une pratique de discours lié à une prise de pouvoir sur l'interlocuteur. Il s'agit de lui laisser entendre que, de toute façon, il n'est pas à même d'objecter sérieusement à des arguments fondés sur tellement de savoir, tellement de références. Allusions aux derniers articles parus dans la presse la plus sérieuse, citations négligemment jetées d'auteurs célèbres et mystérieux pour la plupart, renvoi péremptoire aux leçons historiques tirées de quelque ancêtre vénéré du mouvement : Tout cela fait partie de la petite panoplie du discours dominateur qui a bien moins pour objet d'expliquer et de convaincre que d'écraser et de vaincre. Et ces discours-là existent partout où se joue un rapport de pouvoir mal assumé. Dans la vie scolaire bien sûr, ce champ clos des affrontements entre enseignants et enseignés. Dans un parti politique, combien plus encore, puisqu'il existe toujours un pouvoir, si minime soit-il, à conquérir dans ses propres rangs, même si la prise du pouvoir réel paraît, elle, bien lointaine !

Si nous sommes, en tant que femmes, plus enclines que la plupart des militants à contester ces jeux et ces rites, c'est simplement, je crois, que nous y sommes encore fort peu engagées. Nous pouvons aussi y trouver goût, nous pouvons nous y montrer habiles ; nous ne sommes pas à l'abri, par je ne sais quelle vertu, des séductions du jeu politicien. Pour le moment, nous n'y sommes pas encore expertes. Raison de plus pour en profiter, pour remettre en cause tout ce qu'il peut avoir de sélectif, d'oppressif. Et tant pis pour nos maladresses, si elles nous laissent un minimum de lucidité !

CHAPITRE VII

Parti politique
et mouvement des femmes

> *Vous aider à faire la Révolution, ce n'est pas — pour nous, les femmes conscientes — porter docilement dans votre ombre et sous votre direction, une pierre à l'édifice que voulez construire d'après des plans établis par vous. C'est donner notre avis sur le plan de l'édifice. Et c'est veiller jalousement à ce qu'y soit réservée notre place.*
>
> NELLY ROUSSEL.
> Nécessité du féminisme - 1921.

Je sens venir une question que n'ont pas manqué de me poser, de manière directe ou détournée, de nombreuses femmes : s'il est si difficile pour les femmes d'exister dans les partis politiques, s'il paraît si aléatoire d'y faire passer les acquis du mouvement des femmes, à quoi bon y participer ? Ne voudrait-il pas mieux consacrer à ce mouvement lui-même tant d'heures et d'énergie, et faire pression de l'extérieur sur les groupes où se jouent les problèmes du pouvoir d'Etat. Cette critique est renforcée d'ailleurs de toutes les expériences malheureuses de ces dernières années, de compagnonnage presque impossible entre les groupes politiques et le mouvement des femmes.

Du côté des grands partis de gauche, c'est l'oscillation entre l'attitude dénonciatrice, *mouvement petit bourgeois, problèmes secondaires, femmes agressives*, et l'attitude récupératrice qui prévaut en période électorale et quand les femmes commencent à parler très fort : *nous avons les premiers, nous comptons dans nos rangs* (suivent des pourcentages), *nous avons proposé depuis longtemps...*

Du côté de l'extrême gauche, l'importance du mouvement des femmes a souvent été saisie ; mais comme d'un atout possible pour des groupes trop petits pour se faire reconnaître, et perpétuellement à la recherche de ce qui allait pouvoir leur donner une insertion enfin massive. Alors que les militantes de ces groupes étaient elles-mêmes souvent des féministes convaincues, elles se voyaient définir par l'organisation les objectifs à suivre dans le mouvement, et jusqu'aux consignes de leur auto-organisation.

Je ne me souviens jamais sans rire de la première assemblée nationale du M.L.A.C. à laquelle j'ai assisté, à Grenoble, où, pointage à l'appui, devant une assemblée composée à quatre-vingt pour cent de femmes, plus de la moitié des intervenants furent masculins ! Parmi les interventions les plus cocasses, mais faites avec le plus grand sérieux par de grands diables chevelus et barbus, revenaient sans cesse les mots d'ordre de l'une des organisations d'extrême gauche d'alors : *les femmes doivent s'auto-organiser.* En aurons-nous assez entendu parler par les hommes, ces deux jours-là, de l'auto-organisation des femmes ? Une chose était claire, en tout cas, dans leur tête à eux : *ils devaient nous conseiller, nous aider à opérer le détachement douloureux à leur égard ; mais nous serions sûres de toujours trouver chez eux conseil et appui !* Conseils et appuis qui les amèneraient, selon la conjoncture, à suggérer à leurs « femmes de créer des groupes autonomes dans le mouvement, puis, quand ces groupes apparaîtraient vraiment trop marqués par leur attache à l'organisation politique, à les dissoudre.

Entre temps, les mêmes se chargeraient d'intervenir dans le mouvement massif que représentait le M.L.A.C., de manière si manipulatoire qu'il ne s'en relèverait pas. Trêve d'amertume : les femmes de ces mouvements ont compris, la plupart du temps, le rôle qu'on leur faisait jouer, et elles en ont tiré les conséquences. Mais peut-on échapper vraiment, dans les partis politiques, à ces récupérations et à ces manipulations ? Comment pouvons-nous nous en défendre ? Ou ne vaut-il pas mieux abandonner tout de go le terrain difficile des organisations politiques mixtes ?

Ma réponse à moi est claire : les partis politiques existent, et on ne changera pas avant longtemps cette réalité-là. Qu'on le veuille ou non, ils sont encore les lieux d'intervention privilégiée, en ce qui concerne les problèmes du pouvoir dans l'Etat et dans les collectivités. Si nous voulons que ces instruments de la prise du pouvoir servent la cause des femmes au lieu de l'enterrer, il faut que nous y soyons présentes. Et de façon suffisamment forte, suffisamment organisée, suffisamment consciente, pour ne pas être utilisées nous-mêmes. Cela veut dire que l'action des femmes dans et par un parti politique n'est possible que si elles y sont suffisamment nombreuses, si elles s'y organisent en tant que femmes, si elles conquièrent dans le parti des postes de pouvoir et si, dans ces postes de pouvoir, elles veillent à ce que les femmes qu'elles envoient restent bien liées aux collectifs de femmes dans et hors de l'organisation.

Mais il est vrai que, si la motivation féministe était la seule à nous faire agir, les partis politiques ne seraient sûrement pas le lieu privilégié de notre intervention. J'ai déjà dit combien la lutte pour la reconnaissance de nos droits devait se heurter aux obstacles des habitudes, sinon du mauvais vouloir, de groupes massivement masculins, quant à leurs doctrines et leurs traditions, quant à leur encadrement aussi. En ce qui concerne les luttes des femmes, nous allons plus vite et plus loin dans nos organisations autonomes, ou dans les interventions ponctuelles que nous mettons sur pied entre femmes.

Mais il y a autre chose : à développer de manière complètement autonome nos propres mots d'ordre, nos propres analyses, nos propres combats, nous risquons de les présenter comme particuliers, presque corporatistes, alors qu'ils remettent en cause, au contraire, la société tout entière. L'oppression des femmes, la surexploitation des femmes sont des réalités. Le mouvement ouvrier, les partis de gauche et les organisations syndicales les ont plus ou moins reconnues, mais à condition de les traiter comme éléments secondaires d'une analyse qui, massivement, opposait comme seules classes sociales celle des détenteurs du capital et celle des travailleurs.

Nous reproduirions volontiers quelquefois, en l'inversant, cette simplification dans le mouvement des femmes. En estimant secondaires les positions différentes qu'occupent les hommes dans le monde du travail, étant entendu qu'ils sont tous, d'une certaine manière, des exploiteurs et des oppresseurs des femmes. Je crois qu'il faut tenir les deux bouts de la chaîne. Non par une tentative de conciliation facile et courante dans les partis de gauche et les syndicats, en partant du seul groupe qui ne fait pas question, parce que lui subit à coup sûr le cumul des exploitations de classes et de sexe : les travailleuses. Sur les femmes travailleuses, on s'entendra toujours entre féministes d'extrême gauche et femmes et hommes des partis plus traditionnels : la travailleuse est celle qui concentre sur elle tous les malheurs ; elle est reconnue à la fois par les économistes bon teint de la tradition marxiste et par les féministes patentées.

Les histoires de sexe, de ventre, de vieillesse, de solitude, de rupture, d'amour, ce sont des histoires de petites bourgeoises désœuvrées et nombrilistes. Janette Vermeersch disait autrefois, en parlant de la contraception et de l'avortement, que les vices des bourgeoises ne devaient pas devenir ceux des femmes travailleuses. On n'ose plus avancer de pareilles sottises, mais il reste encore beaucoup d'hommes, dans des groupes que je connais bien, à penser que les femmes-travailleuses ont avant tout des problèmes de salaires, de budget ménager, et que les préoccupations féministes proprement dites sont avant tout le fait de femmes des classes moyennes ou bourgeoises. Il suffirait pourtant de jeter un coup d'œil sur ce qui fait le succès de la presse féminine populaire, du roman-feuilleton au roman photo, pour apercevoir combien les mythes de l'amour, du mariage exceptionnel, jouent de rôle dans l'imagerie des femmes *travailleuses* et *ménagères* des milieux les plus modestes. Combien elles sont loin de se désintéresser des problèmes de la sexualité, de la famille, de la solitude, de la dépendance à l'égard de l'homme, même si la littérature qu'on écrit pour elles est le plus souvent aux antipodes des thèses féministes.

Les milieux politiques et militants de gauche ont vraiment des simplifications commodes. Je crois profondément, au contraire, qu'ils ne seront capables de s'adresser aux femmes travailleuses, comme ils disent, que quand ils ne les considèreront plus uniquement comme travailleuses, mais pour ce qu'elles sont, dans leur réalité à elles et à eux : des femmes aussi, chargées de toutes les joies et les servitudes de toutes les femmes d'aujourd'hui. Il faudrait que la gauche arrive à parler de la famille en d'autres termes qu'en termes de *consommation* et de *budget des ménages*. En ne laissant pas à la droite l'exclusivité du discours sur ce terrain. En ne se contentant pas, en raison du grand vide de réflexion et d'analyse sur ce point, de reprendre purement et simplement les thèmes même de cette droite-là.

Mais s'intéresser à tout cela, est-ce vouloir déserter pour autant le terrain des luttes contre les autres injustices ? Est-ce se désintéresser des autres fondements économiques du système ? Si l'oppression des femmes est une réalité plus durable que le capitalisme, si ses racines sont plus profondes que le système économique lui-même ; si cette oppression se maintient, presque inchangée dans des pays qui ont opéré certaines transformations économiques et sociales, vais-je pour autant me désintéresser de ces transformations possibles ? Au contraire. Le fait qu'aucun pays au monde n'ait aujourd'hui réglé la question de la remise en cause de la division traditionnelle des rôles entre hommes et femmes, de la même manière qu'aucun pays n'a réglé non plus celle de l'appropriation réellement collective des moyens de production ; le fait qu'en lieu et place de socialisme, jusqu'ici, on n'ait assisté qu'à la mise en place de régimes d'étatisation de la production et de bureaucratie plus ou moins totalitaire, sans contrôle réel des producteurs sur les objectifs, le déroulement, le partage du travail et l'attribution des biens créés ; le fait qu'à un ancien système de pouvoir permettant le maintien des privilèges dus à l'argent se soit substitué un système de pouvoir tout aussi incontrôlé, permettant la mise en place d'une nouvelle classe détentrice de nouveaux privilèges ; tous ces faits-là sont, je crois, concordants. Ils indiquent que la propriété des moyens de production et la redistribution des richesses sont une chose nécessaire, bien sûr, si l'on veut dépasser le stade des inégalités créées par le capitalisme.

Mais la transformation profonde que nous cherchons implique bien autre chose, si l'on veut échapper aux caricatures de socialisme. Elles impliquent que l'on remette en cause toutes les formes de la division du travail. A la base même de toute cellule sociale dans la production et dans le reste de vie quotidienne, il faut casser la hiérarchie au nom de laquelle certains, certaines exécutent ce que d'autres ont décidé pour elles et eux.

Il faut en finir avec les deux rapports de soumission et de dépendance qui sont la base même de toutes les injustices, de toutes les inégalités, dans quelque société que ce soit : celui qui se crée dans la division des tâches, dans le processus de travail, dès qu'apparaît la fonction de commandement qui ne peut être remise en cause, et qui s'exerce au nom d'une autorité non reconnue, non discutée, sur ceux qui exécutent ; celui qui se crée, à partir des différences sexuelles, dans la division des tâches quotidiennes non prises en charge par l'organisation collective, c'est-à-dire le rapport traditionnel domination-soumission entre l'homme et la femme. Ce rapport apparaît d'autant plus dangereux, pour l'édification d'une société qui prétend réduire les injustices, qu'il est le cadre de toute l'éducation première des enfants, celle qui ne se joue pas à travers des leçons et des principes, mais qui fait assimiler les modèles à travers l'expérience vécue. Cela veut dire, pour reprendre les jargons, *qu'il faut s'attaquer en même temps, et aussi fort, au patriarcat et au capitalisme.*

Je crois l'éducation aux modèles anti-hiérarchiques, anti-autoritaires aussi primordiale pour l'avenir d'une expérience socialiste que la mise en place du système économique lui-même. Qu'on ne me fasse pas dire ce que soutiennent aujourd'hui certains psycho-sociologues : que toute révolution doit commencer par une transformation du système éducatif, et que la révolution économique est seconde par rapport à cela. Il n'y a qu'une objection très réaliste à leur faire : c'est que, tant que le pouvoir sera tenu par ceux mêmes qui ont intérêt au maintien des privilèges, ce même pouvoir, qui contrôle aussi les grandes machines éducatives, s'arrangera pour qu'elles fonctionnent uniquement, malgré quelques failles inévitables, dans le sens de la reproduction du système. Mais il est certain qu'une révolution économique réelle est celle qui va au cœur même de l'économie, qui s'attaque donc à la première des dépossessions. A l'égard du projet que l'homme peut mettre dans son travail, à l'égard du projet d'autonomie que chacun — et chacune — peut avoir par rapport à autrui.

D'ailleurs, en posant ces problèmes dans la France de 1980, les femmes sont loin de déserter le terrain que devraient occuper les partis de gauche, et qu'ils défendent si mal. Je ne connais pas de meilleure analyse actuelle sur ce point que celle du courant baptisé « courant G » du P.S., analyse présentée sous le titre, *l'autre moitié du chemin*, au congrès du P.S., à Metz, en avril 1979. Je crois bon d'en citer le début :

La gauche a perdu les élections en mars 1978. Il est un peu court de dire : nous avons perdu à cause de la désunion de la gauche. Regardons aussi le vote des femmes.

CINQUANTE-DEUX POUR CENT DES ELECTEURS SONT DES FEMMES

Cinquante-deux pour cent ! Ce ne sont donc pas les hommes qui font les majorités, mais surtout les femmes par leur vote. L'arrivée de la gauche au pouvoir bute sur ce fait depuis trente-cinq ans.

Quelle que soit la tranche d'âge ou la catégorie socio-professionnelle à laquelle elles appartiennent, les femmes votent plus à droite que les hommes et sont plus nombreuses à s'abstenir (les deux tiers de l'absentionnisme chez les jeunes sont le fait des jeunes femmes).

Sans le vote des femmes, François Mitterrand aurait battu de Gaulle en 1965, Giscard en 1974, et nous aurions gagné les législatives en mars dernier.

Un parti qui a choisi de venir au pouvoir par le suf-frage universel, doit s'interroger sur la façon dont la droite retient les femmes dans son camp.

Il doit savoir que la société patriarcale maintient les femmes dans un état d'isolement et de sous-développement culturel qui les rend plus perméables à l'idéologie dominante conservatrice. Il existe une pensée de droite sur la femme qui lui donne une place : la Famille, où elle est valorisée, sécurisée.

Il n'existe pas de pensée de gauche sur les femmes parce que les partis du mouvement ouvrier bornent leur analyse de la société à la seule division en classes telles qu'elles se définissent dans la production ; or la conception marxiste actuelle de la production n'intègre pas la reproduction et ce qu'elle considère comme ses accessoires (travaux ménagers, soins aux enfants et aux parents âgés)...

Dès lors, la gauche ne peut pas s'adresser aux fem-mes :

— *à celles qui participent à la production, on parle comme à des travailleurs ; au mieux, on dit : les travailleurs et les travailleuses ;*

— *aux autres on ne dit rien.*

— *A toutes, que propose-t-on qui puisse leur « changer la vie » ?*

La gauche n'a jamais pensé la place des femmes dans la société.

Il faut croire que les résistances sont profondes pour que les militants du P.S. aient choisi de n'accorder qu'à peine un pour cent de leurs voix à ce texte. La résistance est-elle moins forte au P.S.U. ?

Je voudrais prendre un peu de temps ici pour expliquer pourquoi, après vingt ans et malgré tout ce que j'ai pu évoquer dans ce livre de difficultés rencontrées, le P.S.U. me paraît encore un lieu privilégié d'intervention : le seul me semble-t-il aujourd'hui, à permettre de concilier pratiquement deux démarches politiques globales : le refus du capitalisme et le refus du patriarcat.

Peut-être ai-je le patriotisme de parti trop chevillé au corps par des années « d'appartenance » comme on dit. Pourtant je ne me sens guère appartenir à personne, et si, tout compte fait des profits et des pertes, le P.S.U. ne m'apportait pas plus que je ne lui consacre, je ne serais guère disposée à lui sacrifier les quelques petites choses auxquelles je crois, en plus du plaisir de choisir mon temps et ma vie. Alors pourquoi ce parti-là plutôt qu'un autre ? Pourquoi l'obstination à maintenir et développer un groupe qui manque si ostensiblement de *réussite* dans la vie institutionnelle de ce pays, et qui, en vingt ans d'âge, n'a pu obtenir que de manière presque accidentelle, des sièges parlementaires, même s'il est un peu mieux partagé au niveau des représentations dans les collectivités locales ?

Je ne vais pas exposer ici un programme, ni une histoire du P.S.U.. On les trouve, on les trouvera dans d'autres textes [1]. Seulement préciser ce qui me paraît faire son originalité.

Le P.S.U. est un petit parti, c'est entendu ; ses réussites sur le plan institutionnel sont jusqu'ici assez rares, c'est encore plus clair. Pourtant, dans la vie politique française, je crois qu'il s'agit d'un phénomène assez étonnant. Car, en France, les petits partis sont à peu près tous nés de l'ambition de quelques individus, quelquefois d'un individu, qui tenaient à marquer leurs distances à l'égard d'une formation importante. La plupart sont nés par scission, et leurs responsables entendaient jouer, en provoquant une fracture dans le groupe dont ils faisaient autrefois partie, le rôle que la majorité de ce groupe leur avait refusé.

Le P.S.U., au contraire, même si certains de ses anciens dirigeants avaient fait scission de la S.F.I.O., est né d'une volonté de regrouper des courants très divers, d'où la recherche d'un sigle où figurerait le terme *unifié* : militants ouvriers d'origine chrétienne, mouvements d'organisations populaires familiales, militants refusant le choix unique entre les pratiques du stalinis-

---

1. *Vivre, produire et travailler autrement.* Editions Syros, pour le programme ; *Archives d'espoir*, Editions Syros, pour l'histoire.

me et celles de la social-démocratie, intellectuels mal domptés par les grandes familles de la gauche. Des traditions très différentes s'y rejoignent : anciens des milieux catholiques ouvriers : A.C.O., J.O.C., M.R.J.C., etc., socialistes et syndicalistes libertaires situés dans la tradition de l'anarchisme et de la Commune, anciens du P.C. qui ont rejoint le P.S.U. tout au long de son histoire, formés au moule du marxisme, de la discipline de parti, mais ayant pris, dans l'expérience de la rupture, le goût indiscutable de la tolérance et de la liberté, des trotskystes après maintes errances au parti socialiste ou ailleurs...

Mais cette présentation serait très simplificatrice si l'on n'y ajoutait l'expérience de pratiques, différentes par leur application, communes quant à l'itinéraire qu'elles recouvrent. Je veux parler à la fois de certaines pratiques courageuses de refus, et de pratiques militantes inscrites tout au cœur du tissu social. Pratiques de refus forgées dans la première expérience du parti : celle de la guerre d'Algérie, de la solitude, face à une gauche complice, pour proposer la discussion avec le F.L.N., pour servir la lutte anti-colonialiste quand toutes les forces de ce pays allaient à rebours. Refus de l'ordre établi manifesté avec éclat en mai 1968, comme seul parti qui ait su se trouver à la fois à Charléty et dans les usines occupées, face à une gauche sans projet et traînant la semelle. Refus de plier devant les diktats de la « nécessité économique » avec l'affaire Lip, refus de la soumission dans les casernes, avec les comités de soldats. Mais tout cela a pu, à travers le P.S.U., trouver des échos, ne pas rester refus théorique et verbal d'une petite avant-garde intellectuelle, parce que le P.S.U. est avant tout un parti de militants fortement inscrits dans les luttes sociales. Cadres du mouvement syndical, responsables des organisations populaires, animateurs des comités anti-nucléaires, ce sont avant tout des militants de terrain. Et dans les pires moments de gauchisme verbal, après 1968, ou dans les affrontements de courants et de tendances qui ont, périodiquement, marqué l'histoire de ce parti — on ne se fait pas impunément le champion de la liberté d'expression et de la tolérance — la plupart des militants restaient soudés par les luttes quotidiennes, l'habitude d'avoir à affronter, pour des propositions imaginatives, l'inertie et le mauvais vouloir des grands partis de gauche, l'absence de sectarisme dans l'action.

Aujourd'hui encore, où l'on se plaît fréquemment à opposer les « nouveaux mouvements sociaux » et les grandes organisations traditionnelles du mouvement ouvrier, où la pratique du sarcasme entre les deux tient souvent lieu d'arguments, le P.S.U., toujours *inconfortable* entre ces deux chaises, continue à rechercher ses interlocuteurs et chez les uns et chez les autres. Et pour une raison simple : c'est qu'à travers ses militantes et ses militants, il est dans l'un et l'autre à la fois ; car ce qui fait, je crois, sa richesse autant que beaucoup de ses difficultés, c'est qu'il s'est toujours refusé à régler en termes d'appareils des rapports entretenus entre ses militants et les divers mouvements. Très souvent, au sein du parti, le débat renaît sur ce point : ne pourrait-on être plus efficace, avoir une influence accrue, si nous choisissions « d'investir » les adhérents dans tel syndicat plutôt que tel autre, dans telle tendance syndicale, dans tel groupe actif du mouvement de femmes... plutôt que de les laisser s'éparpiller. Mais le goût du choix autonome, le sentiment aussi que les différences locales imposent des enracinements différents sont bien trop forts au P.S.U. pour que les amateurs de dirigisme ou de centralisme puissent y être entendus.

L'anti-monolithisme y est viscéral. Cela donne souvent des situations cocasses, mais toute la diversité et la richesse du P.S.U. — une part de ses faiblesses aussi — est là. Parti du refus et de l'enracinement à la fois, le P.S.U. est donc, aujourd'hui encore, bien placé pour être à l'écoute. Point trop bloqué par les dogmes, il peut admettre que certains arrivent à la politique autrement que par les voies obligées que traceraient facilement les inconditionnels du catéchisme marxiste. Mais fortement enraciné par ses pratiques dans des milieux divers, dans les couches populaires, dans les quartiers des villes et dans des zones rurales très traditionnelles, il peut mesurer aussi les difficultés réelles à faire passer les nouveaux messages. Il peut préférer, du coup, laisser à quelques-uns les formulations avant-gardistes, pour tenter de faire se rejoindre les perceptions différentes apportées par exemple par le mouvement des femmes et par les militants des luttes écologistes et les traditions forgées dans le mouvement ouvrier, le syndicalisme et les organisations populaires.

On a souvent dit aussi du P.S.U. qu'il était avant tout un parti inventif, celui qui avait lancé dans la gauche française un certain nombre de thèmes. D'aucuns se sont plus à le baptiser « laboratoire d'idées ». Ce terme est à la fois laudatif et péjoratif ; au P.S.U., il nous amuse et nous irrite à la fois.

Sans doute est-ce le P.S.U. qui, le premier, a attiré l'attention sur les luttes régionales en parlant de « décoloniser la province » ; sans doute est-il le groupe qui a le plus contribué à faire poser en d'autres termes les perspectives socialistes pour ce pays, en introduisant dans la réflexion politique, ou en le réintroduisant après des décennies d'oubli, le terme d'autogestion. Sans doute est-ce le premier groupe politique qui ait essayé de lier le souci écologique et la réflexion sur la nature de la production, au lieu de se contenter de parler de redistribution des richesses. Mais si je trouve le terme « laboratoire » péjoratif, c'est qu'il renvoie à des pratiques intellectuelles élitistes, qu'il fait songer à l'élaboration théorique par quelques-uns de schémas de changement, alors que tout ce qu'il y a de novateur au P.S.U. s'est construit à travers un certain nombre de pratiques et surtout a pris forme et consistance politique à travers les propositions faites, sur le terrain, par les militants du parti.

Je ne méprise en rien l'effort intellectuel accompli par nos camarades économistes, ni par les nombreuses commissions de réflexion créées dans le parti pour apporter des réponses nouvelles à tel ou tel problème. Mais je sais que c'est par exemple à travers un certain nombre de luttes d'entreprises, dont Lip a été l'exemple le plus éclatant, que s'est forgée la conviction et l'image autogestionnaire du parti. Si nous avons aujourd'hui des propositions intéressantes à faire sur les transports en commun, sur un autre service de santé, sur l'insertion des immigrés, c'est que, sur toutes ces questions, des militants du P.S.U. travaillent depuis de nombreuses années, non à fabriquer ou à compulser de volumineux dossiers — encore que les dossiers ne soient jamais négligeables — mais à chercher des solutions aux problèmes quotidiens des dessertes de banlieue ou de petites villes, parce qu'ils travaillent comme usagers parmi les autres des dispensaires et des hôpitaux, ou comme membres de cabinets de groupe, parce qu'ils ont contribué à créer des services municipaux pour les travailleurs immigrés et participé aux luttes tiers-mondistes.

Je crois que me voilà en plein couplet patriotique, moi qui m'étais juré de n'y pas sombrer. Moi qui ne voulais que dire : on peut voir toute la défiance à l'égard des organisations que l'on voudra, et ne pas se sentir trop mal dans ce parti-là ; moi qui avais surtout envie de justifier, pour tant de femmes dont je me sens proche dans leurs fatigues, leurs humiliations et leurs joies quotidiennes, le sens de mon appartenance politique.

Pourtant, si j'arrive, non sans mal quelquefois, à être partie prenante, et d'une organisation politique et du mouvement des femmes, je crois que cela tient à l'espoir que j'ai de participer aussi à la naissance d'une nouvelle théorie et d'une nouvelle pratique politique qui permettraient enfin aux luttes des femmes d'être reconnues comme un élément déterminant d'un changement social et politique. Au même titre que les autres luttes de libération : celles des peuples colonisés et surexploités, celles des travailleurs. Pourquoi ne pas dire d'ailleurs : *l'élément déterminant ?* S'il est vrai que parmi les travailleurs, les travailleuses sont — de loin — les plus exploitées, pourquoi la classe ouvrière ne devrait-elle pas mettre en avant comme lutte la plus urgente, la plus libératrice, celle de la reconnaissance des droits des femmes, de leur accès — enfin — à l'égalité réelle ?

Et s'il s'agit de parler en termes de priorités, ne peut-on pas admettre à gauche qu'un groupe social vivant une exploitation massive ne peut accéder à la conscience de la révolution nécessaire qu'à partir de son exploitation à lui ? « Ce n'est pas en étudiant les textes classiques du socialisme, ce n'est pas en militant pour les « causes » des autres, c'est en analysant les caractéristiques spécifiques de sa propre oppression que l'on prend véritablement conscience des méfaits du système capitaliste et que l'on s'engage irréversiblement dans la lutte [2]. »

Cette conciliation possible entre travail dans un parti et travail dans le mouvement des femmes tient aussi à la différence de forme entre les deux.

J'ai très souvent pensé, dans les années passées, après la retombée de la lutte sur l'avortement, après les multiples échecs des tentatives d'organisation d'un mouvement autonome, des coordinations, des regroupements... en assistant aussi à tous les essais de manipulation par tel ou tel groupe, aux liquidations sectaires, aux « noyautages » en tous genres, que le mouvement des femmes, pour résister à tout cela, devait arriver à se donner une structure...

Idée de militante habituée depuis longtemps aux sécurités que donnent les groupes organisés. Je me rends compte aujourd'hui que le mouvement des femmes est tout autre chose, et doit rester autre chose. J'avais déjà observé, en étudiant l'histoire des luttes de femmes en France de 1914 à 1968 [3], à une période où il est courant de dire que le mouvement des femmes n'existait pas, que son existence pouvait être très réelle, quoique diffuse, souterraine, aux moments même où l'on s'attendrait le moins à le trouver. J'avais été souvent agacée par les femmes fraîchement convaincues de l'après 1970, qui niaient l'existence de luttes de femmes avant elles, et proclamaient l'année zéro de ces luttes. Et j'écrivais l'an dernier, pour les militants de mon parti toujours avides de cerner objectivement les choses, qu'aujourd'hui, le mouvement des femmes était partout, qu'il traversait les organisations, les partis, les syndicats, même les plus rebelles, qu'il était entré par la petite porte dans les

---

2. Crill Simms, dans *Mignonne, allons voir sous la rose*, bulletin du courant G du P.S., n° 2.

3. *Op.cit.*

couples, et qu'il s'était installé dans nos têtes, à toutes et à tous.

Je pense qu'aujourd'hui beaucoup de femmes ont si bien compris tout cela qu'elles ne sont pas prêtes à sacrifier la richesse, la possibilité de communication et de solidarité découvertes dans les groupes de femmes pour l'apparente puissance des organisations imitant les partis politiques. Certaines m'ont dit ne plus même vouloir que l'on connaisse à l'extérieur l'existence de leur groupe, de leurs rencontres, tellement elles craignaient toutes les tentatives d'annexion et de manipulation dont sont friands les groupes organisés. Elles préféraient entrer en clandestinité, plutôt que de servir de marchepieds à quelques amateurs (amatrices ?) de pouvoir. Par contre, tous ces groupes constituent un réseau étonnant, capable, lorsque les femmes le jugent utile, de sortir au grand jour, et de participer à une action publique. L'essentiel n'était d'ailleurs pas là, l'essentiel c'est la remise en cause incessante du quotidien, la tentative de débusquer les rapports de pouvoir, le sexisme caché, la violence tolérée, l'injustice sous toutes ses formes.

Simplement, je crois que le fait d'être une femme dans la vie politique, de le savoir, de l'accepter, et de refuser d'oublier l'appartenance à cette collectivité-là, impose aussi que l'on tente de voir et de faire la politique autrement. Avec le regard de celles qui n'ont pour elles ni le temps, ni la formation, ni le discours. Pour y parvenir, les partis politiques doivent faire le ménage chez eux ; je me réjouis de voir que ce ménage-là, même s'il est exigé par les femmes, servira aussi les intérêts de tous ceux que ni la fortune, ni la naissance, ni les études n'ont prédisposé à faire carrière en politique, mais dont l'intérêt premier est bien que la politique soit faite par eux — par elles, pour eux — pour elles.

POSTFACE

J'ai écrit l'essentiel de ce livre pendant l'été 1979, je me trouve y mettre la dernière main en février 1980 ; mon parti m'a désignée comme candidate aux élections présidentielles. Un certain nombre de choses que j'ai dites ici — sur la hiérarchie, sur le pouvoir, sur la personnalisation — ne m'en paraissent que plus évidentes. Et je ne les assume pas avec plus d'allégresse. Il faut qu'une homme politique soit sûr de lui, heureux d'incarner les idées qu'il prône, triomphant. J'hésite, j'ai du mal à lier entre elles mes convictions de femme et mon engagement politique, je n'éprouve que de très rares bonheurs dans cette situation où vous m'avez mise. Je me sens toujours aussi mal à l'aise, sinon plus, dans la cote mal taillée du parti politique : non peut-être dans ce parti-là, pour lequel j'ai bien des tendresses, mais dans ce qu'on nomme couramment l'action politique.

Mais je n'ai qu'un entêtement : participer aux luttes des femmes pour la reconnaissance de leurs droits, et permettre de faire renaître à travers elles, un mouvement socialiste réellement révolutionnaire, et enfin autogestionnaire. Pour que les héritiers du mouvement ouvrier arrivent à se débarrasser de ce qui les lie encore au vieux monde, où le père faisait sa loi, où la femme était sa servante. Pour qu'ils comprennent enfin que l'ancienne formule « un peuple qui en opprime un autre ne peut être un peuple libre » peut aussi s'appliquer aux rapports entre hommes et femmes. Pour qu'ils sachent nous entendre, nous sans qui ils ne pourraient rien contre le désordre établi. Pour que nous, les femmes, puissions enfin exister, hors de tous les modèles, et tracer nos chemins hors des ornières.

Tout cela n'est pas pour demain : qu'importe ! Nous sommes vieilles, vieilles... et si jeunes pourtant !

Février 1980

TABLE DES MATIERES

VIENT DE PARAITRE AUX EDITIONS SYROS

- COMBAT CULTUREL

    Chansons populaires occitanes (C. CAUJOLLE)
    En portées : 73 chansons de femmes (M. LAURENT)
    Les grotesques - 120 dessins de J.-P. CAGNAT

- HISTOIRE ET THEORIE

    Socialistes et pacifistes (M. BILIS)
    Les syndicats à l'épreuve du féminisme
    (M. MARUANI)

- POINTS CHAUDS

    Toutes les mêmes ? (C. MICHEL)
    On a sauvé l'école du village (R. BELPERRON)

- ROMAN

    Une femme pour mon fils (A. GHALEM)

- HORS COLLECTION

    Le guide des vacances pas con (C.M. VADROT)
    La fin des terres promises (M.T. LACAZE)
    Le loup est dans la cave (E. BERGERON)
    Echec et Maternelle (Collectif GEDREM)

Achevé d'imprimer
sur les presses
Lienhart et Cie

en Mars 1980
de l'Imprimerie
à Aubenas
à 4 000 exemplaires
DÉPÔT LÉGAL : 1er TRIMESTRE 1980
Imprimé en France